WIEN

ENTDECKEN · ERLEBEN · ERINNERN

MIT 150 FARBFOTOS VON
TONI ANZENBERGER

PICHLER VERLAG

Stadt der Hoffnung – Stadt der Begegnung
DER WEG WIENS DURCH DIE ZEITEN

Wer den Boden Wiens betritt, sollte sein Herz öffnen und all seine Sinne schärfen für die Begegnung mit einer außergewöhnlichen Stadt. Denn diese ist nicht nur einfach schön, sondern bietet dem Besucher ein Zauberreich an Flair und Atmosphäre: Hier, in den Straßen und Gassen der ehemaligen Metropole eines versunkenen europäischen Großreichs, ist der Atem der Vergangenheit allgegenwärtig, erzählen alte Paläste und ehrwürdige Bürgerhäuser von versunkenen Tagen, schwingt heitere Schwermut über kiesbestreuten Wegen, künden altersgraue Monumente von Glanz und Geheimnis ferner Zeiten. Diese unmittelbar spürbare Gegenwärtigkeit des Vergangenen erfüllt Wien mit magischer Kraft, verwandelt seine steinerne Landschaft durch die Macht der Erinnerung zu seltsam lebendiger Kulisse.

Wem es gelingt, das nüchterne Pulsieren des Alltags für kurze Zeit hinter sich zu lassen, wer Wien seine Aufmerksamkeit und Neugier schenkt, dem wird der Blick zuteil auf eine beinahe unerschöpfliche Welt: auf den weiten, bunten Kosmos abendländischer Geschichte und auf einzigartige Höhepunkte europäischer Kultur, auf Genies und Helden, Künstler und Visionäre. Maria Theresia und Prinz Eugen, Mozart und Beethoven, Franz Joseph und Sisi, Johann Strauß und Otto Wagner – sie alle sind in der Donaumetropole über ihr Grab hinaus seltsam lebendig geblieben, entwickeln hier unverändert kraftvolle Wirkung. Wer es versteht, sich ganz einzulassen auf diese faszinierende Vergangenheit Wiens, wird daraus ein Gefühl von neuer Zuversicht, ja, von Glück und Harmonie für sein eigenes Dasein gewinnen.

Wien, die Stadt, in der das Sterben durch Musik und Poesie nicht selten wehmütig verklärt wird, war tatsächlich nie eine Stadt des Todes, sondern immer eine Stadt des Lebensmutes und der Hoffnung. Eine Stadt, die jenen, die aus der Fremde kamen, Heimat wurde, die Geborgenheit, Arbeit und Brot all jenen gab, die dem Tod in ihren Vaterländern entronnen waren und sich hier eine neue Existenz schufen. Am Schnittpunkt von Ost und West gelegen, wurde Wien für viele, vor allem auch in den Jahren und Jahrzehnten nach 1914, als zwei Weltkriege die Ordnung des alten Europa grausam zerstörten und den Kontinent in ein blutiges Schlachtfeld verwandelten, zum Ort der Rettung, gedacht oft nur als erste Station auf der Flucht, die man dann jedoch nie wieder verließ. Man lernte den Frieden schätzen, den Wien seinen Einwohnern und Gästen bietet, fühlte sich geborgen und sicher, nützte die vielfältigen Möglichkeiten des Arbeitsmarkts, genoss die ausgezeichnete Lebensqualität – viele gute Argumente, die bis heute für die österreichische Bundeshauptstadt sprechen.

Hingebettet auf sanften Hügeln und Terrassen an der Donau, war der Wiener Raum wohl schon vor der Ankunft römischer Truppen an der Donau im Jahre 15 v. Chr. dicht besiedelt; die Menschen, die hier lebten, gehörten dem keltischen Kulturkreis an. Knapp nach der Zeitenwende errichteten römische Soldaten eine erste Militärstation auf dem Boden der späteren Großstadt, aus ihr ging schließlich das Legionslager Vindobona hervor, Teil des *Limes*, der imposanten Festungskette des römischen Imperiums an der Donau. Um 167/169 n. Chr. zerstörten Markomannen und Quaden ein erstes Mal das Legionslager; nach den siegreichen Feldzügen Kaiser Marc Aurels wurde es wieder neu aufgebaut und 212 n. Chr. erfolgte die Erhebung der Zivilstadt von Vindobona in den Rang eines *municipium*, einer römischen Stadt. Handel und Gewerbe in der Stadt an der

Grenze blühten, mit der Erlaubnis zum Anbau von Wein begründete Kaiser Probus (276–282 n. Chr.) eine der großen wirtschaftlichen Traditionen Wiens.

Mit dem Beginn der so genannten „Völkerwanderung" gegen Ende des 4. Jahrhunderts nahm der Druck der „barbarischen" Völker auf die römischen Donauprovinzen weiter zu, letzte verzweifelte Anstrengungen, die Grenze zu halten, scheiterten: Um das Jahr 400 wurde Vindobona von einer germanischen Kriegerschar zum zweiten Mal zerstört, 433 traten die Römer den Wiener Raum an die Hunnen ab – das Ende der römischen Herrschaft an der mittleren Donau war damit gekommen. In den folgenden „dunklen" Jahrhunderten der Völkerwanderung geriet selbst der Name Vindobona in Vergessenheit, in dem wohl großteils zerstörten römischen Kastell hielt sich jedoch eine kleine Restsiedlung, aus der später der so genannte „Berghof", der erste burgenähnliche Bau des mittelalterlichen Wien, hervorgehen sollte. Rasch wechselten die Herrschaftsverhältnisse: Den Hunnen folgten Gepiden, Ostgoten und Heruler, zu Beginn des 6. Jahrhunderts übernahmen die westgermanischen Langobarden die Macht im heutigen Ostösterreich, nach ihrem Abzug nach Italien 568 rückte das Steppennomadenvolk der Awaren in die Region ein und konnte sich hier bis zum Ende des 8. Jahrhunderts halten. Erst die Expansionspolitik Kaiser Karls des Großen führte in blutigen Kriegen zur Zerstörung des Awarenreichs; die Errichtung der „Karolingischen Mark" im eroberten Ostgebiet bedeutete auch für die Siedlung auf dem Ruinenboden Vindobonas eine entscheidende Neuorientierung: Aus einem dem Osten zugehörenden Grenzort gegen den Westen wurde nun ein dem Westen zugehörender Grenzort gegen den Osten. Bayerische Kolonisten und Missionare trafen ein, auf der Donau blühte der Handel, die großen bayerischen Klöster sicherten sich bedeutende Besitzungen.

Aus den Steppen des Ostens tauchte indes eine neue Gefahr auf: Das Reitervolk der Ungarn *(Magyaren)* besetzte die ehemaligen awarischen Gebiete im Karpatenbecken und bedrohte bald auch die Karolingische Mark. Im Zusammenhang mit einem Grenzscharmützel zwischen Ungarn und Bayern erfolgt

Oben: *Das spätmittelalterliche Wien: Ansicht der Stadt vom Süden auf einer Tafel vom Flügelaltar des Meisters des Schottenstifts, um 1469.*
Unten: *Die Kaiserstadt im Biedermeier: Rundblick über Wien von Westen. Aquarell von Rudolf von Alt, um 1840.*

anno 881 in den „Salzburger Annalen" die erste Nennung des Namens Wien *(ad Uueniam)*. Nach der vernichtenden Niederlage eines bayerischen Heeres gegen die Ungarn bei Pressburg 907 geriet der Wiener Raum unter magyarische Herrschaft, nur langsam gelang es den Babenbergern, den Landesherren der zwischen Enns und Traisen neu eingerichteten „Ottonischen Mark", die Grenze wieder nach Osten zu schieben, erst um die Jahrtausendwende wechselte Wien endgültig in den babenbergischen Einflussbereich. 1137 wird es erstmals als *civitas*

bezeichnet, ab 1156 ist es Residenz der Babenbergerherzöge und damit Hauptstadt eines Landes, für das sich inzwischen der Namen „Österreich" eingebürgert hat.

Von den Landesherren mit vorteilhaften Privilegien versehen – das erste Stadtrecht wurde 1221 von Herzog Leopold VI. verliehen –, wuchs Wien zu einer der bedeutendsten mittelalterlichen Städte des deutschsprachigen Raums heran, mit dem Bau des Doms von St. Stephan schuf sich die tüchtige Bürgerschaft ein monumentales Wahrzeichen, das von nun an die Schicksale

der Stadt begleiten sollte. 1246 fiel der letzte Babenbergerherzog Friedrich II., der Streitbare, in einem Gefecht gegen die Ungarn; für einige Jahrzehnte konnte sich danach der Böhmenkönig Ottokar Přemysl zum Herrscher über die Stadt und die österreichischen Länder aufschwingen, ehe ihm Rudolf von Habsburg, der neue deutsche König, entgegentrat. In der Schlacht von Dürnkrut und Jedenspeigen 1278 wurde Ottokar Přemysl getötet, Rudolf von Habsburg ging nun zielstrebig daran, die österreichischen Länder für seine Familie zu sichern. 1282 belehnte er seine Söhne Albrecht und Rudolf mit den Herzogtümern Österreich und Steiermark. Die Wiener Bürgerschaft, die Rudolf vorsorglich Treue und Gehorsam schwören ließ, war zwar von der Herrschaft der Neuankömmlinge aus dem Westen keineswegs begeistert, allmählich entspannte sich aber das Verhältnis der Wiener zu den habsburgischen Landesfürsten, die bald auch tatkräftig das Wohl der Stadt förderten: Herzog Rudolf IV., der Stifter (1358–1365), Schwiegersohn Kaiser Karls IV., versuchte durch ein konsequentes Reformprogramm die Macht von Bürgermeister und Rat zu stärken; 1359 legte er

den Grundstein für den Bau des Südturms von St. Stephan (fertig gestellt 1433), 1365 gründete er die Wiener Universität *(Alma Mater Rudolphina)*.

Ein schreckliches Ende fand 1420/21 die bedeutende mittelalterliche Judengemeinde Wiens in der „Wiener Geserah": Herzog Albrecht IV. befahl aus fadenscheinigen Gründen die Gefangennahme aller Juden, ließ ihre Häuser und ihren Besitz konfiszieren und über 200 Männer und Frauen auf Scheiterhaufen verbrennen. Das neue jüdische Ghetto sollte im 16./17. Jahrhundert in der heutigen Leopoldstadt (2. Bezirk) entstehen; 1670 wurden die Juden von Kaiser Leopold I. erneut aus der Stadt gewiesen.

Gegen Ende des 15. Jahrhunderts, gefördert vom ungarischen König Matthias Corvinus, der 1485 die Stadt eroberte und bis 1490 hier herrschte, und von Kaiser Maximilian I., wurde Wien zu einem herausragenden Zentrum humanistischer Gelehrsamkeit. Männer wie der Mathematiker und Astronom Georg von Peuerbach, der Dichter Konrad Celtis, der Arzt Johannes Cuspinianus oder die Kartografen Johannes Stabius und Georg Tannstetter trugen wesentlich zum großen Aufbruch der europäischen Wissenschaft im Geist der Renaissance bei; auch die neue Technologie des Buchdrucks fand in Wien bald eine Heimat – 1482 wurden in Wien die ersten Bücher gedruckt. Zum Ausgang des Mittelalters war Wien eine Stadt mit etwa 20.000 Einwohnern, eine blühende Metropole und Heimstatt von Kunst und Wissenschaft, bewohnt von selbstbewussten Bürgern, die eifersüchtig über ihre Privilegien wachten.

„Mögen andere Länder Kriege führen, du glückliches Österreich heirate!" – beseelt von dieser Devise ging Maximilian I., der „letzte Ritter", daran, die entscheidenden Weichen für den Aufstieg der Dynastie in neue machtpolitische Dimensionen zu stellen: Er selbst schritt als Vorbild voran und heiratete 1477 Maria von Burgund, zu deren Erbe auch die Niederlande gehörten. Sein Sohn Philipp „der Schöne" ehelichte Johanna „die Wahnsinnige", die Kastilien und Aragon in den habsburgischen Familienbesitz einbrachte; der krönende Schachzug gelang Maximilian mit einer geschickt arrangierten „Doppelhochzeit" auf dem Fürstentag 1515 in Wien: Seine zehnjährige Enkelin Maria wird dem ungarischen König Ludwig II., sein zwölfjähriger Enkel Ferdinand wird Anna, der einzigen Schwester Ludwigs und Erbin der Königreiche Böhmen und Ungarn, versprochen. Dieser Enkel Erzherzog Ferdinand, der sich nach dem Tod von König Ludwig II. in der Schlacht von Mohács (29. August 1526) vor die Aufgabe gestellt sah, die nunmehr aktuell gewordenen Erbansprüche der Habsburger auf Böhmen und Ungarn durchzusetzen, verstand es zu seiner neuen Residenzstadt bald eine enge Beziehung zu entwickeln: 1526 erhielt Wien durch ihn ein neues Stadtrecht, das den endgültigen Schlusspunkt hinter die spätmittelalterliche Bürgerstadt setzte – es begann der Aufstieg zur kaiserlichen Residenz. Im Herbst 1529 folgte mit der Ersten Türkenbelagerung die große Bewährungsprobe: Die Truppen Sultan Süleymans des Prächtigen scheiterten bei ihrem Sturm auf die von Niklas Graf Salm verteidigten Mauern; nach knapp drei Wochen vergeblicher Angriffe und angesichts drohender Versorgungsprobleme befahl Süleyman den Rückzug. Da die zinnengekrönte mittelalterliche Stadtmauer den Erfordernissen des zeitgenössischen Festungsbaues bei weitem nicht mehr gerecht wurde, befahl Ferdinand 1532 den Bau neuer Befestigungen mit Basteien und Ravelins, die das Erscheinungsbild Wiens als Festung bis 1857/58, dem Beginn des Baus der Ringstraße, bestimmen sollten.

Auch in Wien stießen die Lehren des „Ketzers" Martin Luther auf große Zustimmung, trotz scharfer Restriktionen gewann der Protestantismus sowohl in Adelskreisen als auch in den ärmeren Bevölkerungsschichten rasch an Zulauf – um die Mitte des 16. Jahrhunderts waren die Katholiken bereits in der Minderheit. Der erzkatholische Ferdinand I. reagierte mit Gegenmaßnahmen: 1551 trafen die ersten Jesuitenpatres in Wien ein, ein Jahr später kam auch der berühmte Prediger und Katechismus-Autor Petrus Canisius in die habsburgische Hauptstadt. Unter Kaiser Rudolf II. folgten weitere radikale Maßnahmen: Protestantische Gottesdienste und protestantische Schulen wurden verboten; 1578 wies man die lutherischen Prediger aus der Stadt. Ihren Höhepunkt erreichte die „Gegenreformation" unter Kaiser Ferdinand II. (1619–1637): Neue Orden wie die Franziskaner, Kapuziner und Unbeschuhten Augustiner wurden nach Wien gerufen; um den Schikanen der kaiserlichen Verwaltung zu entgehen, zogen es viele protestantische Bürger vor, die Stadt zu verlassen.

Der Dreißigjährige Krieg traf Wien nicht unmittelbar, zur Bedrohung wurden jedoch neue Kriegspläne des Osmanischen Reiches und die ebenso grausame wie kurzsichtige Willkürherrschaft Kaiser Leopolds I. in Ungarn, die dazu führte, dass sich Vertriebene und Flüchtlinge zu den „Kuruzzen" zusammenschlossen und mit den Türken bald gemeinsame Sache gegen Habsburg machten. Im Frühjahr 1683 brach Großwesir Kara Mustafa mit einem gewaltigen Heer zum Feldzug gegen Wien auf, am 14. Juli standen die türkischen Truppen vor Wien, dessen etwa 16.000 Mann starke Besatzung von Ernst Rüdiger Graf von Starhemberg befehligt wurde. Kara Mustafa konzentrierte seine Angriffe auf den Abschnitt zwischen Schottentor und Burgtor, kam aber nur langsam vorwärts. Es entwickelte sich ein dramatischer Wettlauf mit der Zeit, der Kara Mustafa schließlich als Verlierer sah: Am 12. September 1683 wird seine Armee vom alliierten Entsatzheer unter Karl von Lothringen und dem polnischen König Jan Sobieski vernichtend geschlagen, die „Türkengefahr" ist für Wien für immer gebannt.

Aus Schutt und Asche der Vorstädte, die man noch vor Ankunft der Türken in Brand gesteckt hatte, entstanden neue Siedlungen, die zu riesigen Reichtümern gelangten Adelsfamilien im Umkreis des Hofs ließen sich prachtvolle Paläste errichten, 1695 begann der Bau von Schloss Schönbrunn nach Plänen von Johann Bernhard Fischer von Erlach; sein Konkurrent Johann

Linke Seite: *Der letzte Babenberger Friedrich II. fällt im Kampf, im Hintergrund Wien. Detail vom Babenberger-Stammbaum, Chorherrenstift Klosterneuburg.*
Unten: *Glorreicher Sieg über die Türken: die Entsatzschlacht vor Wien am 12. September 1683. Ölgemälde von Franz Geffels, Wien Museum.*

Oben: Kaiser Franz Joseph I. als Gastgeber beim glanzvollen Fest der Doppelmonarchie: der Hofball in den Redoutensälen. Aquarell von Wilhelm Gause, 1906, Wien Museum.
Unten: Prachtboulevard Ringstraße: Blick auf den Opernring mit der Hofoper. Chromolithografie von Franz Alt, nach 1870.

die alten, noch in Zünften organisierten Handwerks- und Gewerbebetriebe traten nun Manufakturen, vor allem die Textilindustrie nahm einen großen Aufschwung. Zu den bedeutendsten Reformen der Herrscherin zählt die Einführung einer „Allgemeinen Schulordnung" – 1771 wird die erste Normalschule Wiens eröffnet. Maria Theresias Sohn Joseph II. (1765 bzw. 1780–1790), den Maximen der Aufklärung verhaftet, setzte dieses Reformwerk unter dem Aspekt der Nützlichkeit mit äußerster Konsequenz fort: Zahlreiche Klöster und die Leibeigenschaft wurden aufgehoben, eine weitgehende Pressefreiheit eingeführt, das Toleranzpatent von 1781

Lukas von Hildebrandt errichtete für den Prinzen Eugen, den Oberbefehlshaber der habsburgischen Armeen, mit dem Belvedere ein faszinierendes architektonisches Denkmal (1714–1723). Zum Schutz der neu erbauten Vorstädte vor den aufständischen Kuruzzen wurde 1704 ein Erdwall mit Gräben, der so genannte „Linienwall", angelegt. Ende des 19. Jahrhunderts trat an seine Stelle zwischen die alten Vorstädte und die neu eingemeindeten Vororte der „Gürtel".

Unter Maria Theresia (1740–1780) lebten in Wien und den Vorstädten bereits 175.000 Menschen (Volkszählung 1754); neben

gewährte Lutheranern, Kalvinisten und Griechisch-Orthodoxen freie Religionsausübung und bürgerliche Gleichstellung; 1782 folgte ein Toleranzpatent für die Wiener Juden, das die Aufhebung zahlreicher diskriminierender Bestimmungen brachte. Wien begann eine Stadt der Bürger zu werden, der Aufbruch in die Moderne setzte ein.

In den Napoleonischen Kriegen wurde Wien zweimal, 1805 und 1809, von französischen Truppen besetzt, Napoleon, der 1810 Marie Louise, eine Tochter von Kaiser Franz I., ehelichen sollte, bezog sein Quartier jeweils in Schönbrunn. Nach dem Sieg der Verbündeten über den großen Korsen wurde Wien zum Schauplatz der Verhandlungen über die Neuordnung Europas, geleitet wurde der „Wiener Kongress" 1814/15 vom diplomatisch überaus geschickten österreichischen Außenminister Clemens Wenzel Lothar Fürst Metternich, dem es gelang, eine vom Gedanken des europäischen Gleichgewichts geprägte Friedensordnung durchzusetzen. Ab 1821 Staatskanzler, wurde er durch sein Eintreten für den Status quo zur Symbolfigur der Reaktion.

Während die Kunst des Biedermeiers noch eine Welt bürgerlicher Harmonie und Konflikt-

losigkeit vorspiegelte, erfasste die industrielle und verkehrs-technische Revolution Wien in den Jahrzehnten nach dem Wiener Kongress mit bemerkenswerter Dynamik. Aus allen Provinzen der Monarchie kamen Zuwanderer, allein von 1800 bis 1835 stieg die Bevölkerungszahl um 40 Prozent auf 330.000 Menschen, davon waren mehr als ein Drittel nicht in Wien geboren. 1837 fuhr der erste Eisenbahnzug von einem Wiener Bahnhof; in der Folge nahmen Maschinen- und Verkehrsmittelindustrie einen ungeheuren Aufschwung, gleichzeitig kristallisierte sich

Genies wie Gustav Klimt und Otto Wagner ließ Wien zur Welthauptstadt der Moderne werden. Im Jahre 1900 zählte die habsburgische Metropole bereits an die 1,7 Millionen Einwohner, 1910 erreichte die Einwohnerzahl mit 2,083 Millionen ihren historischen Höchststand.

Nach der Niederlage Österreich-Ungarns im Ersten Weltkrieg, dem Zusammenbruch der Monarchie und der Ausrufung der Republik im Spätherbst 1918 ging die Stadtverwaltung in die Hände der Sozialdemokraten über, es begann die Ära des

Die prachtvolle Sommerresidenz der Kaiserfamilie: Schloss Schönbrunn. Gemälde von Bernardo Bellotto, genannt Canaletto, Kunsthistorisches Museum.

immer deutlicher die Industriearbeiterschaft als „vierter Stand" heraus. Massenarbeitslosigkeit, Hungersnot nach Missernten und steigende Lebensmittelpreise lösten 1845 erste Arbeiterunruhen aus, in der „Märzrevolution" des Jahres 1848 wurde das Regime Metternich endgültig hinweggefegt. Die Ziele der radikalen Demokraten konnten jedoch nicht verwirklicht werden, Ende Oktober 1848 eroberten kaiserliche Truppen die Stadt, neuer Kaiser wurde der erst 18-jährige Franz Joseph I. (1848–1916). Die Entwicklung zur modernen Großstadt war nun aber auch durch den neoabsolutistischen Regierungsstil des jungen Monarchen nicht mehr aufzuhalten: 1850 wurden 34 Vorstädte eingemeindet, 1857 ordnete Franz Joseph den Abbruch der Basteien und den Bau der Ringstraße an, die bereits 1865 eröffnet werden konnte. Die Heirat mit der schönen Wittelsbach-Prinzessin Elisabeth („Sisi") am 24. April 1854 hatte ihm inzwischen zu neuer Popularität verholfen. Mit großer Energie wurde in der „Gründerzeit" die technische Infrastruktur ausgebaut: 1873 wurde die Erste Wiener Hochquellenwasserleitung eröffnet, bis 1875 konnte die Donauregulierung abgeschlossen werden, Ende der 1880er-Jahre floss der erste elektrische Strom, 1897 nahm die erste elektrische Straßenbahnlinie den Betrieb auf.

1890 folgte die Eingemeindung der Vororte, die Administration des christlichsozialen antisemitischen Demagogen Dr. Karl Lueger, Bürgermeister von 1897 bis 1910, setzte neue Maßstäbe im Fürsorge- und Gesundheitswesen, Kunst und Architektur des Jugendstils begannen Fuß zu fassen, das Schaffen von

„Roten Wien". Wegweisende soziale, städtebauliche und schulpolitische Maßnahmen gaben Wien jenes charakteristische Gesicht, das bis heute die Stadtlandschaft prägt. Die Diktatur des „Ständestaats" (1933–1938) und der blutige Terror der NS-Herrschaft (1938–1945) zwangen viele Intellektuelle und jüdische Mitbürger in die Emigration, Tausende wurden ermordet. Der Zweite Weltkrieg bedeutete für viele Wiener Tod oder Verwundung an der Front, in der Stadt selbst herrschte das Inferno: Die schweren Luftangriffe der Alliierten 1944/45 kosteten beinahe 9.000 Wienerinnen und Wienern das Leben und zerstörten oder beschädigten etwa ein Fünftel des Häuserbestands der Stadt. Nach der Befreiung durch die Rote Armee (6.–13. April 1945) wurde die graue Ruinenstadt von den „Siegermächten" in vier Besatzungszonen aufgeteilt; erst die Unterzeichnung des Staatsvertrags 1955 brachte endgültige Souveränität.

Der mühsame Wiederaufbau war dennoch in eindrucksvoller Weise gemeistert worden, Wahrzeichen der Stadt wie der Stephansdom (1952 feierlich wiedereröffnet), die Staatsoper oder das Burgtheater erstanden in neuem Glanz. Wien brachte das Kunststück zuwege, den Zauber einer versunkenen Welt nicht verloren gehen zu lassen, bewahrte sich seinen spezifischen Rhythmus auch in der Hektik der Moderne. Auch nach dem Fall des „Eisernen Vorhangs" und der EU-Erweiterung konnte es seinen Platz als kosmopolitische und multikulturelle Metropole behaupten, als Weltstadt mit „menschlichem" Antlitz, als ein Ort der friedlichen Begegnung zwischen Ost und West, den man nur ungern verlässt …

Spitalgasse

OGS-Grafik

Alser Straße

Kochgasse

Lange Gasse

Florianigasse

Josefstädter Straße

Lange Gasse

Piaristengasse

Lerchenfelder Straße

Neustiftgasse

Burggasse

Zollergasse

Neubaugasse

Kirchengasse

Stiftgasse

Mariahilfer Straße

Windmühlgasse

Gumpendorfer Straße

Technisches Museum

④

⑤

Universitätsstraße

Landesgerichtsstraße

Stadiong.

Reichsrats- straße

Auersperggstr.

Museumstr.

Volksgartenstr.

Währinger Straße

Votivkirche

Sigmund-
Freud-
Park

Universität

Rathaus

Rathaus-

park

⑪

⑳

Parlament

⑪

Theseustempel

Volksgarten

Burg-
ring

Museumsplatz

Babenberger Straße

Eschenbachgasse

Kollingasse

Schottenring

Schotteng.

Helferstorfstraße

Teinfaltstr.

Dr.-Karl-Lueger-Ring

Freyung

Renngasse

Tiefer Graben

Wipplinger

Bankg.

Minoritenkirche

Herrengasse

Wallnerstr.

Ballhaus-
platz

⑳ Michaeler-
platz
⑮

⑭

⑬

⑫

Burg-
garten

Kohlmarkt

Habsburgerg.

Bräunerstr.

Dorotheerg.

Spiegelg.

Gonzagagasse

Neutorgasse

Börsegasse

Straße

Bognerg.

Am
Hof

⑱ Juden-
platz

Tuchlauber

Peterskirc

Graben

⑯

⑰

Albertina-
platz

Opernring

⑪

⑳

Akademie der
Bildenden Künste

Getreidemarkt

㉕

Operngasse

Kärntner Straße

Karls
plat

Linke Wienzeile

Rechte Wienzeile

Schleifmühlg.

Operngasse

Wiedner Hauptstraße

0   50   100
m

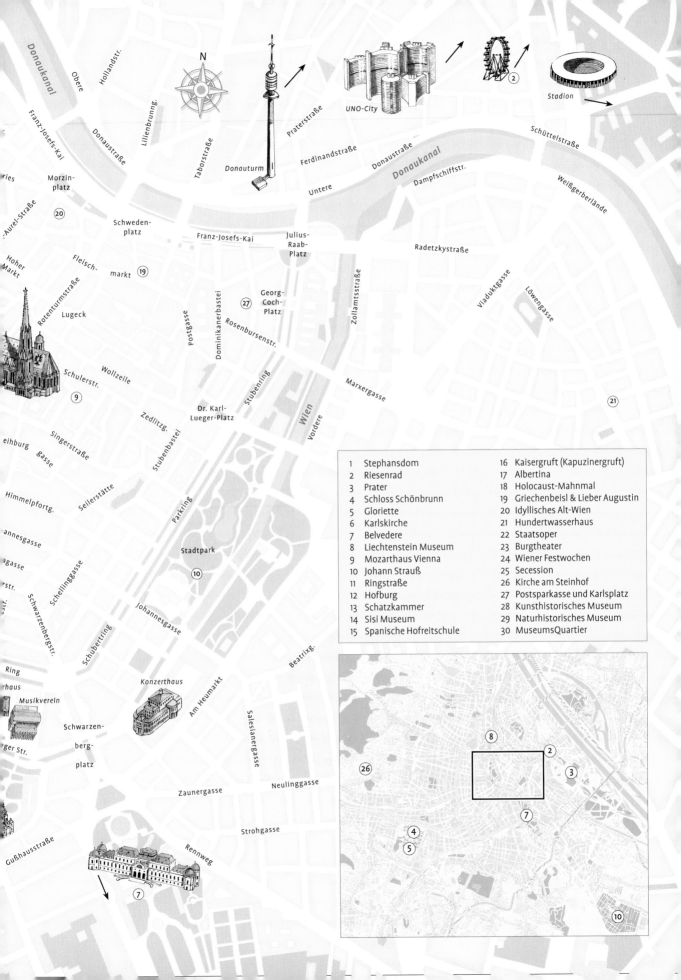

1	Stephansdom	16	Kaisergruft (Kapuzinergruft)
2	Riesenrad	17	Albertina
3	Prater	18	Holocaust-Mahnmal
4	Schloss Schönbrunn	19	Griechenbeisl & Lieber Augustin
5	Gloriette	20	Idyllisches Alt-Wien
6	Karlskirche	21	Hundertwasserhaus
7	Belvedere	22	Staatsoper
8	Liechtenstein Museum	23	Burgtheater
9	Mozarthaus Vienna	24	Wiener Festwochen
10	Johann Strauß	25	Secession
11	Ringstraße	26	Kirche am Steinhof
12	Hofburg	27	Postsparkasse und Karlsplatz
13	Schatzkammer	28	Kunsthistorisches Museum
14	Sisi Museum	29	Naturhistorisches Museum
15	Spanische Hofreitschule	30	MuseumsQuartier

Das steinerne Herz der Stadt

DER STEPHANSDOM

1010 Wien, Stephansplatz

Majestätisch erhebt er sich über das bunte Gewirr von Dächern und Giebeln der „Inneren Stadt", zieht unwillkürlich alle Blicke auf sich: der Stephansdom, seit Jahrhunderten Wahrzeichen und Mittelpunkt Wiens; von den Wienern kurz und liebevoll „Steffl" genannt. Schlank und zugleich von eindrucksvoller Wucht ragt der hohe, 1433 vollendete Südturm, ein Meisterwerk gotischer Baukunst, gegen den Himmel, steinerner Zeuge einer wechselvollen Geschichte: Von seiner Türmerstube aus beobachteten die Verteidiger Wiens während der Zweiten Türkenbelagerung 1683 die Bewegungen der Truppen Großwesir Kara Mustafas, im April 1945 verfolgten von hier aus Soldaten der Roten Armee die letzten Kämpfe mit deutschen Einheiten. Und hier im Stephansdom inszenierten die Habsburger ihre Hochzeiten, hier beteten sie um den Segen Gottes für ihre Heere und hier feierten sie ihre Siege. Die Anfänge des Doms reichen tief ins Mittelalter zurück: Wohl auf dem Boden eines alten Friedhofs wurde 1137 mit dem Bau einer ersten, dem heiligen Stephan geweihten Kirche begonnen, die 1147 fertig gestellt wurde – damals noch außerhalb der Stadt. In den Jahren 1230/40 bis 1263 erfolgte dann die Errichtung einer neuen Kirche im spätromanischen Stil; von ihr künden heute noch die beiden „Heidentürme" (etwa 65 m hoch) und die Westfassade. Herzog Rudolf IV., der Stifter, legte dann 1359 den Grundstein für den Neubau des Doms im gotischen Stil; 1433 war der Südturm fertig gestellt, vor 1474 auch das Langhaus. Den Grundstein für den Nordturm legte 1450 Kaiser Friedrich III., die Arbeiten daran wurden jedoch 1511 abgebrochen, der 65 m hohe Turm blieb unvollendet, erhielt 1578 allerdings noch eine Haube im Stile der Renaissance aufgesetzt.

Seit dem Jahre 1365 ist der Stephansdom Sitz eines Domkapitels und damit Domkirche, mit der Erhebung Wiens zum Bistum 1469 wurde er zur Kathedrale und seit 1723 ist er die Metropolitankirche des Erzbischofs von Wien.

Links: *Das altehrwürdige Wahrzeichen der Stadt: der Stephansdom, Abbild des himmlischen Jerusalem und Zeuge einer wechselvollen Geschichte.*
Unten: *In der Welt des Todes unter dem Dom: namenloser Knochenschutt in den Katakomben.*

Rechte Seite
Oben: *Ein Ort, erfüllt von magischer Aura: Im Schutz des großen Doms warten die Fiaker am Stephansplatz auf Fahrgäste.*
Unten: *Ausdrucksstarke spätgotische Plastik an der Domkanzel: die Porträts der Kirchenlehrer hl. Hieronymus (links) und hl. Ambrosius (rechts).*

In der Planung des Doms wurde Rücksicht auf die mittelalterliche Zahlensymbolik mit den heiligen Zahlen Drei (für die Heilige Dreifaltigkeit) und Vier (der Grundzahl des Irdischen – vier Jahreszeiten, vier Elemente usw.) genommen: Er ist 111 Fuß breit (3 x 37; 34 m) und 333 Fuß lang (3 x 111; 107 m), der Südturm 444 Fuß hoch (137,4 m). In der Nacht vom 11. zum 12. April 1945 löste Funkenflug einen Brand aus, bei dem der Dachstuhl und der Glockenturm vollständig ausbrannten; die legendäre, aus erbeuteten türkischen Kanonen gegossene große Glocke „Pummerin" zerschellte am Boden. Der Wiederaufbau des Stephansdoms nach 1945 wurde zum gemeinsamen Anliegen aller Österreicher – 1952 konnte er mit dem Einzug der neuen „Pummerin", eines Geschenks des Bundeslandes Oberösterreich, feierlich wiedereröffnet werden.

Dem aufmerksamen Besucher wird das eingeritzte „O5" auf der Westseite auffallen – es war dies das Zeichen der österreichischen Widerstandsbewegung gegen den Nationalsozialismus.

Links: *Kunstwerk Dach: das Wappen von Kaiser Franz I. auf der Südseite.*
Unten links: *Kostbarer gotischer Flügelaltar im linken Seitenschiff: der Wiener Neustädter Altar.*
Unten rechts: *Selbstbildnis mit Winkelmaß und Zirkel am Orgelfuß über dem Peter- und-Paul-Altar: der Steinmetz und Bildhauer Anton Pilgram.*

Rechte Seite
Imposantes „Wohnzimmer Gottes": Wuchtige Bündelpfeiler tragen das kunstvolle Netzrippengewölbe der dreischiffigen Hallenkirche.

Ein Atem beraubendes Kunstwerk für sich ist das Dach des Stephansdoms: 37,50 m hoch erhebt es sich steil über dem Langhaus, bestehend aus ca. 230.000 Dachziegeln. Auf der Nordseite zeigt es die Wappen der Stadt Wien und der Republik Österreich, auf der Südseite das Wappen von Kaiser Franz I. Durch das Hauptportal auf der Westseite, das romanische Riesentor mit Christus Pantokrator im Tympanonfeld, betritt man den weiten Innenraum des Stephansdoms, dem nicht nur immense sakrale Bedeutung zukommt, sondern der auch einer der großen Gedächtnisorte der österreichischen Geschichte ist. Im Südchor befindet sich das großartige Grabmal Kaiser Friedrichs III., geschaffen aus Adneter Marmor von Niclaes Gerhaert van Leyden; der berühmte Schriftzug AEIOU dieses Herrschers findet sich auf dem Wiener Neustädter Altar, einem kostbaren gotischen Flügelaltar im linken Seitenschiff. Gleich daneben steht ein Kenotaph für Herzog Rudolf IV. und seine Frau Katharina von Böhmen; in der Tirna- oder Savoyenkapelle links neben dem Hauptportal befindet sich das Grab des Prinzen Eugen. Einen eindrucksvollen Höhepunkt spätgotischer Plastik repräsentiert die Kanzel, die früher dem Baumeister und Bildhauer Anton Pilgram zugeschrieben wurde, heute jedoch als Werk des

Niclaes Gerhaert van Leyden betrachtet wird. Von besonderer Ausdrucksstärke sind die wunderbar lebendigen Porträts der vier Kirchenväter Augustinus, Ambrosius, Gregorius und Hieronymus; bemerkenswert auch die Gestaltung des Handlaufs des Treppengeländers: Frösche und Lurche verbeißen sich ineinander, symbolisieren den Kampf des Guten gegen das Böse. Im unteren Teil der Treppe erblickt man den bekannten „Fenstergucker", das Selbstporträt eines unbekannten Meisters. Unbedingt empfehlenswert sind die zahlreichen Spezialführungen, die im Dom angeboten werden: Sie erlauben faszinierende Einblicke in die Welt dieses altehrwürdigen Bauwerks, berichten von Sagen und Legenden, von versunkenen Bräuchen und lebendigen Traditionen, machen seinen Reichtum und sein einzigartiges Wesen sichtbar. Und wer die Möglichkeit hat, den Stephansdom am 26. Dezember zu Mittag zu besuchen, sollte dies tun: Das Gotteshaus ist so „geostet", dass die Sonne zu diesem Zeitpunkt die Ikone des heiligen Stephanus am Hauptaltar in helles Licht taucht. Am 6. Jänner, dem Dreikönigstag, ist ein ähnlicher Effekt zu beobachten: Dann umspielen die Sonnenstrahlen die drei Kronen der Heiligen Drei Könige mit ihrem Glanz.

Schweben im Himmel über Wien

DAS RIESENRAD

1020 Wien, Prater 90

Seit über hundert Jahren lädt das Riesenrad im Prater, eines der bekanntesten Wahrzeichen der Stadt, zur Fahrt durch den Wiener Äther. Erbaut wurde es 1896/97 von den englischen Konstrukteuren Walter B. Basset und H. Hitchins, unmittelbarer Anlass dafür waren die Feiern zum 50. Jahrestag der Thronbesteigung Kaiser Franz Josephs. Turbulente Zeiten musste das eiserne Riesenräderwerk in der Folge überstehen: Bereits 1916 sollte es abgebrochen werden, was jedoch infolge Geldmangels unterblieb, 1938 „arisierten" es die Nationalsozialisten und ermordeten später seinen ehemaligen Besitzer Eduard Steiner in Auschwitz, 1944 wurde es durch einen Brand schwer beschädigt und konnte erst 1947 seinen Betrieb wiederaufnehmen. Und 1949 drehte hier Carol Reed eine der unvergesslichen Schlüsselszenen des Film-Klassikers *Der dritte Mann* mit Orson Welles und Joseph Cotten. Am höchsten Punkt befindet man sich 65 Meter über dem Boden; die Waggons bewegen sich mit einer Geschwindigkeit von maximal 2,7 Kilometern pro Stunde – Zeit genug also, um aus ihnen den wunderbaren Panoramablick auf die Wiener Welt zu Füßen zu genießen. Am Fuß des Riesenrades erwartet den Besucher eine zweite Attraktion in Bewegung – hier dreht sich das „Rad der Geschichte":
In jenen acht Waggons, die als verschollen galten und 2002 zum Riesenrad zurückgebracht werden konnten, wurde mit trickreichen Installationen und einem riesigen Schaubild ein gewaltiges „Panoramarad" der Wiener Geschichte geschaffen, das von der Römerzeit bis in die Gegenwart führt.

Das Leben ist ein Ringelspiel ...

DER WIENER PRATER
1020 Wien, Prater

Gleich neben dem Riesenrad beginnt die aufregende Welt des „Wurstelpraters", des ältesten Freizeitparks der Welt. Seit den Tagen Kaiser Josephs II., der anno 1766 das ehemalige kaiserliche Jagdrevier für die Bevölkerung zur allgemeinen „Belustigung" zugänglich machte, ist dieser Teil des Praters das Eldorado des Vergnügens in Wien. Vom nostalgischen Ringelspiel bis zum Nervenkitzel einer Fahrt auf der 2004 eröffneten Achterbahn „Volare", von der Altwiener Grottenbahn bis zum Kasperltheater, von der Schießbude bis zum „Watschenmann" bietet der traditionsreiche Wiener Vergnügungspark für Alt und Jung beste Unterhaltung. Und wer einmal richtig bodenständig schlemmen möchte, dem sei ein Besuch des „Schweizerhauses" (Prater 116) des legendären Gastronomen Karl Kolarik empfohlen: Bei einer knusprigen Schweinsstelze und einem Krügel Bier im herrlich schattigen Garten kann man sich bestens dem Studium der Wiener Volksseele hingeben (geöffnet vom 15. März bis 31. Oktober).

Unmittelbar an den „Wurstelprater" schließt sich der „Grüne Prater" an, ein weitläufiges Wald-, Wiesen- und Augebiet, das zum Reich der Läufer und Radfahrer, der Reiter und Spaziergänger geworden ist, eine einzigartige grüne Oase mitten in der Großstadt, die täglich Tausenden Menschen willkommene Erholung bietet. Und wer nicht laufen will: Quer durch den Prater schnauft seit 1928 die Liliputbahn, mit der man dieses Freizeitparadies bequem erkunden kann. Auf dem Areal des Praters befindet sich auch das 1929 bis 1931 erbaute Ernst-Happel-Stadion (Meiereistraße 7), das bis 1992 „Praterstadion" genannt wurde. Es ist das größte Stadion Österreichs und Schauplatz des Finalspiels der Fußball-EM 2008.

Oben: *Das Eldorado des Vergnügens in Wien: der „Wurstelprater". Aus den Karussells von einst sind moderne Hightechanlagen geworden.*
Unten: *Eine grüne Oase inmitten der Großstadt: die 4,5 km lange Prater Hauptallee, gesäumt von prachtvollen Kastanienbäumen.*

Märchenmonument eines versunkenen Reichs

4
SCHLOSS SCHÖNBRUNN

1130 Wien, Schönbrunner Schloßstraße

Schloss Schönbrunn – das ist der wunderbare, gleichsam magische Kristallisationspunkt des versunkenen Reichs des Doppeladlers. Auf den strahlend gelben Fassaden spürt man noch den Abglanz der „habsburgischen Sonne" (Joseph Roth), nostalgische Wehmut erfüllt die prachtvollen Räumlichkeiten, der sehnsüchtige Traum von vergangener Größe ist hier, in der ehemaligen Sommerresidenz der Kaiserfamilie, lebendig wie nirgendwo anders. Hier wurde über Krieg und Frieden entschieden, beschloss man Reformen und Heiraten, wurde geboren und gestorben, gab man große Empfänge und feierte glanzvolle Feste und von hier aus musste der letzte Kaiser Karl I. den bitteren Weg ins Exil antreten.

Eine kleine Legende berichtet, wie das Schloss zu seinem Namen kam: Im Jahre 1612 soll Kaiser Matthias, wie viele Habsburger ein passionierter Jäger, bei der Jagd in dem von Maximilian II. erworbenen Gelände auf eine Quelle gestoßen sein, die glasklares Wasser hervorbrachte – der „schöne Brunnen" wurde daraufhin die Bezeichnung für das hier befindliche Jagdschloss, die so genannte „Katterburg", deren Anfänge bis ins späte Mittelalter zurückgehen. Anno 1683 wurde dieses Bauwerk von den Türken völlig zerstört, an seiner Stelle beschloss Kaiser Leopold I. ein repräsentatives Sommerschloss für seinen Sohn Joseph erbauen zu lassen – das große Vorbild war Versailles, die Residenz des Sonnenkönigs. Die Planung wurde dem berühmten Baumeister Johann Bernhard Fischer von Erlach übertragen, dessen erster großzügiger Entwurf allerdings die finanziellen Möglichkeiten des Kaisers bei weitem überstieg. Der vereinfachte zweite Plan Fischers wurde angenommen und 1695/96 begann man mit den Bauarbeiten. Im Jahre

1700 war der Mittelteil im Rohbau fertig, 1713 standen auch die Seiten-flügel. Da Kaiser Joseph I., der sich in dem neuen Schloss sehr wohl fühlte, bereits 1711 starb, sein Bruder Karl VI. das Anwesen jedoch nicht besonders schätzte und daher vernachlässigte, sollte die große Zeit Schönbrunns erst unter Maria Theresia beginnen. In ihrem Auftrag baute der Hofarchitekt Nicolas Pacassi 1744–1749 das Schloss um, zog u. a. noch ein Geschoss ein und ließ die Balkone und seitlichen Treppen anlegen. Im nördlichen Hoftrakt entstand das Schlosstheater (eröffnet 1747) und 1755 wurde das beinahe 200 m lange Gebäude der Orangerie fertig gestellt, das älteste heute noch erhaltene Gewächs-haus Schönbrunns. Der Park war bereits ab 1695 vom französischen

Garteningenieur Jean Trehet geschaffen worden, nun erfuhr er durch Jean Nicolas Jadot de Ville-Issey (um 1750) und Ferdinand Hetzendorf von Hohenberg und Adrian van Steckhoven (um 1765) eine grundle-gende Umgestaltung: Ein sternförmiges Alleensystem mit zwei gro-ßen Diagonalachsen wurde angelegt; mit der Errichtung des Neptun-brunnens, der Römischen Ruinen und der Gloriette in den Jahren 1772 bis 1780 schloss man diese Arbeiten ab. Bereits 1779 wurde der Schloss-park mit Ausnahme des so genannten „Kammergartens" für die Bevölkerung geöffnet, ein historisches Gartenkunstwerk, das heute (Fläche: 185 Hektar) zu den am besten erhaltenen imperialen Parkan-lagen der Welt zählt.

Unten: *Eine der schönsten barocken Platzanlagen Europas: der Ehrenhof.*
Rechts: *Zauberwelt Schönbrunn: Schloss und Gloriette verbinden sich zu großartiger Gesamtwirkung.*

Schloss Schönbrunn ist ein faszinierendes Gesamtkunstwerk, dessen einzigartige Bedeutung 1996 auch von der UNESCO gewürdigt wurde: Schloss und Garten wurden in die Liste des „Kulturellen Welterbes" aufgenommen. Die Besichtigung des Schlosses bietet eine unvergessliche Begegnung mit der Zauberwelt Habsburg und imperialer Wohnkultur, mit Lebensstil und Atmosphäre vergangener Zeiten. Gewählt werden kann zwischen der „Imperial Tour" (22 Prunkräume) und der „Grand Tour" (40 Prunkräume), insgesamt zählt der Palast heute 1441 Räume. Glanzvoller Mittelpunkt und Herzstück der Prunkräume ist die „Große Galerie", ehemals ein würdiger Rahmen für die rauschenden Feste der Dynastie. Der eindrucksvolle Saal, einer der bedeutendsten Rokoko-Räume der Welt, ist 40 Meter lang und rund 10 Meter breit, das Fresko von Gregorio Guglielmi in der Mitte des Saales gestaltet den Wohlstand des Habsburgerreichs unter der Regentschaft Maria Theresias. In der Mitte des Bildes sitzen Maria Theresia und ihr Mann Franz I. Stephan, umgeben von den Tugenden. 1961, am Höhepunkt des Kalten Krieges, trafen sich in diesem Saal US-Präsident John F. Kennedy und der sowjetische Staatschef Nikita Chruschtschow.

Weitere Höhepunkte dieser Rundgänge sind das Schlaf- und Sterbezimmer Kaiser Franz Josephs I., das Toilettezimmer Kaiserin Elisabeths, das gemeinsame Schlafzimmer des Kaiserpaars, das Spiegelzimmer mit seinen raffiniert angebrachten Kristallspiegeln, das Große Rosa-Zimmer, in dem der sechsjährige Mozart erstmals Maria Theresia vorspielte, oder die Chinesischen Kabinette, in denen Maria Theresia Konferenzen und Besprechungen abhielt, mitunter aber auch einfach dem Spiel frönte. Die „Grand Tour" zeigt zusätzlich etwa das Rösselzimmer mit einer festlich geschmückten Tafel, das Napoleon-Zimmer, in dem der große Korse 1805 und 1809 schlief und 1832 sein Sohn, der Herzog von Reichstadt, starb, das Millionenzimmer mit seiner kostbaren Rosenholz-Vertäfelung und das Vieux-Laque-Zimmer, das Maria Theresia nach dem Tod ihres Mannes als Gedächtnisraum ausgestalten lies.

Unten links: Diente zur Zeit Kaiserin Elisabeths als Speisezimmer der Familie: das Marie-Antoinette-Zimmer mit Gemälde „Maria Theresia in Witwentracht".
Unten rechts: Exquisite Rokoko-Möbel aus der Zeit um 1770: der Gelbe Salon mit Gemälden von Jean-Etienne Liotard.

Oben: *Glanzvoller Mittelpunkt der Prunkräume: Die über 40 Meter lange und fast 10 Meter breite Große Galerie war einst Schauplatz rauschender Feste. Die virtuosen Deckenfresken von Gregorio Guglielmi verklären die Herrschaft Maria Theresias und Kaiser Franz I. Stephans.*
Unten rechts: *Der Fuhrpark des Hofes in der Wagenburg: Ging der Kaiser auf Reisen, setzte sich ein riesiger Tross von Wagen und Pferden in Bewegung.*

Die Wagenburg

Einen Besuch wert ist auch die Wagenburg in der ehemaligen Winterreitschule von Schloss Schönbrunn. Sie dokumentiert den Fuhrpark des Wiener Hofes und umfasst rund 100 Wagen, Schlitten, Sänften und Tragsessel: Hier stehen so einzigartige Fahrzeuge wie der „Imperialwagen", gebaut um 1750 für Kaiser Franz I. Stephan, der von acht Schimmelhengsten gezogen werden musste.

Tiergarten Schönbrunn

Kaiser Franz I. Stephan, der Gatte Maria Theresias, war ein an den Naturwissenschaften
ungemein interessierter Mann. In seinem Auftrag begann Jean Nicolas Jadot de Ville-Issey
mit der Planung und Errichtung einer Menagerie, zu deren Mittelpunkt der als Salon und
Frühstücksraum konzipierte achteckige
Kaiserpavillon wurde. Insgesamt errichtete

man zwölf Gehege mit jeweils gleich großen
Tierhäusern, die 1752 mit Tieren belegt wurden,
allerdings blieb der Besuch des Tiergartens
vorerst der kaiserlichen Familie vorbehalten.
1770 konnte der erste Elefant in Schönbrunn
bestaunt werden, 1781 zeigte man erstmals
Bären und Wölfe, 1828 begrüßte Wien die erste
Giraffe. 1778 wurde die Menagerie für das
Wiener Publikum geöffnet: Wer „anständig"

Linke Seite
Oben links: *Eine der beliebtesten Attraktionen des Tiergartens Schönbrunn: die gewaltige Elefantenfreianlage.*
Oben Mitte: *Der barocke achteckige Frühstückspavillon Kaiser Franz I. Stephans, errichtet 1759.*
Oben rechts: *Fütterung der Humboldtpinguine, die dann dem begeisterten Publikum ihre Schwimmkünste demonstrieren (unten).*

Rechte Seite
Oben und Mitte: *Üppige tropische Pflanzenwelt hinter Eisen und Glas: das Palmenhaus.*
Unten: *Barocke Gartenkunst, nach historischem Vorbild rekonstruiert: der 1.715 m² große Irrgarten.*

gekleidet war, durfte am Sonntag die Wunder in Schönbrunn bestaunen.

Heute ist der Tiergarten Schönbrunn ein moderner Zoo mit artgerechter Tierhaltung, der sich jedoch den besonderen Charme der barocken Menagerie erhalten hat. Aufwändig eingerichtete Häuser wie das Elefantenhaus, das Regenwaldhaus, das Wüstenhaus, das Aquarien- und Terrarienhaus, das Mexikohaus oder das Polarium erlauben faszinierende Einblicke in die weite und vielfältige Welt der Tiere. Ein Besuch ist unbedingt zu empfehlen!

Das Palmenhaus

Franz I. Stephan zeigte aber auch in botanischen Dingen große Ambitionen und so ließ er im Westen des Schlossparks durch seinen Gärtner Adrian van Steckhoven einen „Holländischen Garten" anlegen, in dem seltene und exotische Pflanzen erfolgreich kultiviert wurden. Auf dem Gelände dieses „Holländischen Gartens" begann 1880 nach Plänen des Hofarchitekten F. v. Segenschmid und des Hof-Eisenkonstrukteurs I. Gridl der Bau des ganz aus Schmiede- bzw. Gusseisen bestehenden Palmenhauses, das 1882 vom Kaiser eröffnet wurde. Mit einer Länge von 111 m, einer Breite von bis zu 28 m und einer Höhe von 25 m ist es das größte Gebäude seiner Art in Europa.

Zauberwelt Schlosspark Schönbrunn

5 | DIE GLORIETTE
1130 Wien, Schloss Schönbrunn

Wer sich auf einen Spaziergang durch den Schlosspark Schönbrunn begibt, erblickt schon von weitem den luftig-grazilen Bau, der auf der Hügelkuppe im Süden thront und die Anlage in wunderbarer Weise abschließt: die Gloriette, den „schönsten Punkt Schönbrunns" (Ernst Moritz Arndt). Errichtet wurde der frühklassizistische Kolonnadenbau von Johann Ferdinand Hetzendorf von Hohenberg im Jahre 1775 als Gedächtnisort für die Gefallenen der kaiserlichen Armeen. Ein wuchtiger Mitteltrakt wird flankiert von Arkaden mit Doppelsäulen, die seitlichen Treppenanlagen werden von antiken Rüstungen mit Schilden, Feldzeichen und Löwen gesäumt, die der Bildhauer Johann Baptist Hagenauer schuf; der gewaltige Reichsadler auf der Weltkugel ist ein Werk von Benedikt Henrici. Ein Teil der Doppelsäulen, Arkadenbögen und Gebälkstücke wurde übrigens nicht original für die Gloriette hergestellt, sondern stammt aus dem verfallenen Schloss Neugebäude in Simmering (11. Bezirk, Neugebäudestraße), einem der bemerkenswertesten Renaissancebauten nördlich der Alpen.

Die kleine Mühe des Anstiegs hinauf zur Gloriette lohnt sich auf jeden Fall: Von der Aussichtsplattform des Flachdachs bietet sich ein großartiger Blick auf die Gesamtanlage von Schönbrunn und den Westen Wiens.

Oben: *Der „schönste Punkt Schönbrunns": die Gloriette.*
Unten: *Erinnerung an die kaiserlichen Armeen: antike Feldzeichen am Dachplateau der Gloriette von Johann Baptist Hagenauer.*

Barocke Bilderwelt in der Karlskirche: das monumentale Fresko (Detail) in der Kuppel von Johann Michael Rottmayr.

Barockdom voller Wunder

 6 ## DIE KARLSKIRCHE
1040 Wien, Karlsplatz

Als im Jahre 1713 erneut die Pest in Wien wütete und zahlreiche Opfer forderte, gelobte Kaiser Karl VI. für das Erlöschen der Seuche den Bau einer Kirche. 1716 begann Johann Bernhard Fischer von Erlach mit der Errichtung des prachtvollen Gotteshauses, 1723 bis 1739 wurde es von seinem Sohn Joseph Emanuel vollendet. 72 m hoch ragt die mächtige Kuppel des dem Pestheiligen Karl Borromäus geweihten Barockdoms empor, ein eindrucksvolles Monument habsburgischer Macht. Die beiden gewaltigen Säulen (33 m hoch), eine Reminiszenz an die Säulen des Herkules bzw. die Trajanssäule in Rom, zeigen Szenen aus dem Leben des Kirchenpatrons, dessen Plastik am Giebel der Säulenhalle thront; flankiert wird er von den vier Tugenden Bußfertigkeit, Barmherzigkeit, Frömmigkeit und Glaube. Die Engel an der Freitreppe verkörpern das Alte und Neue Testament. Ein monumentales Deckenfresko von Johann Michael Rottmayr, das die Bitte des heiligen Karl Borromäus um Erlöschen der Plage gestaltet, ziert das Innere der Kuppel; mit einem Panoramalift gelangt man auf eine Plattform direkt unter der Kuppel und kann so das Meisterwerk aus nächster Nähe betrachten! Das Altarbild „Die Himmelfahrt Mariens" stammt von Sebastiano Ricci.

Das ovale Wasserbecken vor der Kirche schmückt die Skulptur „Hill Arches" des englischen Bildhauers Henry Moore – ein wohltuender künstlerischer Kontrast, der diesem Platz einen seltsamen Reiz verleiht.

Die Sommerresidenz des Prinzen Eugen

SCHLOSS BELVEDERE

1040 Wien, Prinz-Eugen-Straße 27, 1040 Wien, Rennweg 6 a (Unteres Belvedere)

Betritt man die Welt des Belvedere, so fühlt man sich wie verzaubert – Ruhe und Frieden umfließen den Besucher, Architektur und Landschaft verbinden sich in großartiger Harmonie, dazu kommt der herrliche Blick auf die Stadt, der dem Barockensemble einst seinen Namen gab. Prinz Eugen von Savoyen, als Oberbefehlshaber der habsburgischen Armeen und Held zahlreicher Schlachten der mächtigste Mann am kaiserlichen Hofe, stand am Zenit seines Ruhmes, als er 1714 den Baumeister Johann Lukas von Hildebrandt mit der Errichtung dieser prachtvollen Sommerresidenz beauftragte. Bereits 1697, im Jahr seines großen Sieges gegen die Türken bei Zenta, hatte Eugen ein erstes Grundstück am Rennweg erworben, mit vier weiteren Grundstückskäufen konnte er bis 1721 die Anlage auf ihre heutige Größe erweitern. Um 1700 begann der französische Landschaftsarchitekt Dominique Girard mit der Gestaltung des Gartens, vor allem mit der Errichtung der kunstvollen Brunnenanlagen „Obere Kaskade" und „Untere Kaskade", die diesem nach Süden hin ansteigenden barocken Park sein besonderes Gepräge verleihen. Als Thema für das Bildprogramm der steinernen Skulpturen, die leider verloren gegangen sind, wählte man dazu passend das Thema „Aufstieg von der Unterwelt in den Olymp". Als Lustschloss für die Sommermonate war das Untere Belvedere vorgesehen, 1716 konnte der lang gestreckte Palastbau fertig gestellt werden und der Prinz ließ sich hier seine Privatgemächer einrichten:

den Spiegelsaal, seinen Essraum, das Paradeschlafzimmer, den Groteskensaal, die wertvolle Bibliothek und die Marmorgalerie mit einem Deckenfresko von Martino Altomonte, das Eugen als Apoll verklärt. Im Unteren Belvedere befanden sich auch die Stallungen für die Pferde des Prinzen und die Orangerie.

Die Bauarbeiten für das Obere Belvedere, das als Ort für glanzvolle Empfänge und Feste vorgesehen war, begannen 1721; bereits 1723 war der großartige Bau, einer der weltweit schönsten Barockpaläste, fertig. Für die Innenausstattung des dreigeschossigen Gebäudes mit den vier achteckigen Eckpavillons hatte Eugen bedeutende italienische Künstler gewinnen können: Carlo Carlone schuf die Wandmalereien und das Deckenfresko im Gartensaal *(sala terrena)*, die Architekturmalerei übernahm der aus Bologna stammende Gaetano Fanti, das Hochaltarbild „Die Auferstehung Christi" in der Kapelle malte Francesco Solimena. Eine Menagerie mit exotischen Tieren, die im Hof des Ostflügels eingerichtet wurde, sorgte für zusätzliche Attraktivität.

Unten: *Vollendete Barockkomposition aus Stein: das Obere Belvedere.*
Rechte Seite
Oben: *Schweigende Spinxe bewachen die Treppenabgänge (links); das schmiedeeiserne Haupttor mit dem Fürstenhut des Prinzen Eugen (rechts).*
Unten: *Das Spiegelkabinett im Unteren Belvedere mit der Apotheose Eugens.*

Prinzen Eugen starb 1736, seine Alleinerbin, Viktoria Herzogin von Sachsen-Hildburghausen, verkaufte die gesamte Anlage 1752 an Maria Theresia, damals bürgerte sich auch der Name „Belvedere" für sie ein. Vor dem Ersten Weltkrieg residierte im Oberen Belvedere Thronfolger Franz Ferdinand, 1918 gingen die Paläste in den Besitz der Republik über, die im Oberen Belvedere ein bedeutendes Ereignis feiern durfte: Am 15. Mai 1955 wurde im Marmorsaal der Österreichische Staatsvertrag unterzeichnet; vom Balkon des Belvedere präsentierte Außenminister Leopold Figl das Dokument einer jubelnden Menschenmenge.

Bereits seit 1780 ist die Anlage der Öffentlichkeit zugänglich; heute beherbergt das Obere Belvedere die Österreichische Galerie Belvedere, eine der bedeutenden Kunstsammlungen Europas, zu deren Glanzlichtern Werke von Ferdinand Georg Waldmüller, Gustav Klimt, Egon Schiele, Oskar Kokoschka, Claude Monet und Auguste Renoir zählen. Im Unteren Belvedere befinden sich das Museum mittelalterlicher Kunst und das Barockmuseum (Eingang jeweils Rennweg 6 a), zu dessen Schätzen die berühmten Porträtbüsten und Charakterköpfe von Franz Xaver Messerschmidt (1736–1783) und Originalplastiken von Georg Raphael Donner (1693–1741) zählen.

Oben: Schloss Belvedere, das Meisterwerk Johann Lukas von Hildebrandts.
Unten links: Im Marmorsaal des Unteren Belvedere: Originalfiguren des Providentiabrunnens von Georg Raphael Donner, 1737–1739 ausgeführt für die Stadt Wien.
Unten rechts: Ein Barockgarten mit unvergleichlicher Stimmung: anmutige Lautenspielerin in einer Laubnische.

Die Farben des Barock

Zu jenen Adeligen, die nach dem triumphalen Sieg über die Türken darangingen, sich in einer der Wiener Vorstädte ein repräsentatives Gartenpalais errichten zu lassen, zählte auch Fürst Johann Adam Andreas I. von Liechtenstein, ein treuer Diener Kaiser Leopolds I. 1687 erwarb er einen Baugrund in der so genannten „Rossau"; ab 1692 erbaute Domenico Martinelli darauf einen dreistöckigen Palast; für dessen malerische Ausgestaltung sorgten Antonio Belucci, Marcantonio Franceschini, Andrea Pozzo, der das prächtige Deckengemälde im Großen Festsaal, dem Herkulessaal, schuf, und Johann Michael Rottmayr, dem die Freskierung der Decken und Treppenhäuser im Erdgeschoss oblag. Der plastische Dekor war das Werk von Giovanni Giuliani, die Stukkatur stammte von Santino Bussi. Im Jahre 1938 verlegte die fürstliche Familie Liechtenstein ihren Wohnsitz nach Vaduz, auch die berühmte Kunstsammlung, eine der wertvollsten und bedeutendsten privaten Kollektionen der Welt, wurde dorthin gebracht. 2001 begann man für die Rückkehr der Kunstschätze mit der Generalsanierung des Gebäudes, 2004 konnte das Liechtenstein Museum eröffnet werden, das ganz im Sinne eines klassischen „Musentempels" alle Kunstgattungen zu einem Gesamtkunstwerk vereint präsen-

tiert. Wesentliche Teile der fürstlichen Sammlungen sind nun wieder zu bewundern: von der Kunst der italienischen Renaissance (Andrea Mantegna) bis zu den monumentalen farbenkräftigen Kompositionen von Peter Paul Rubens, der mit 33 Werken aus seiner frühen Schaffensphase (1608–1627) vertreten ist. Originale Möbel, kostbare Kunstkammerschränke und Kunstkammerobjekte sowie eindrucksvolle Skulpturen schaffen eine faszinierende barocke Erlebniswelt.

Oben: *Herkules im Ringkampf. Detail aus dem Deckenfresko im Herkulesaal von Antonio Bellucci.*
Unten: *Gewaltiger barocker Palastraum mit illusionistischer Deckenmalerei: der Herkulesaal im Palais Liechtenstein.*

Erlebniswelt Mozart

MOZARTHAUS VIENNA
1010 Wien, Domgasse 5

Vier Zimmer, zwei Kabinette und eine Küche – das ist die durchaus repräsentative Wohnung des Musikgenies Wolfgang Amadeus Mozart im 1. Obergeschoss in der Domgasse 5, unweit des Stephansdoms, in den Jahren 1784 bis 1787. Hier komponierte er 1786 eine seiner bekanntesten Opern, *Die Hochzeit des Figaro*, hier verbrachte er mit seiner Frau Konstanze und seinem kleinen Sohn Carl Thomas (geboren 1784) einige glückliche Jahre. Doch nicht nur die einzige erhaltene Wiener Wohnung Mozarts ist hier zu besichtigen: Auf sechs Stockwerken und rund 1000 m² Gesamtfläche wird im Mozarthaus Vienna dem Besucher Gelegenheit gegeben, die Lebenswelt des Künstlers und sein einzigartiges Werk in allen Fassetten kennen zu lernen, vor allem seine Familie, seine Freunde und seine Gegner im Wien Kaiser Josephs II.; optische und akustische Präsentationsformen sorgen dafür, dass auch Besucher, die der in der Ausstellung angebotenen Sprachen nicht mächtig sind, auf ihre Rechnung kommen.

Oben: *Erinnerungsort für ein unsterbliches Genie: das Mozart-Denkmal von Viktor Tilgner im Burggarten.*
Links: *Hier wohnte Mozart in den Jahren 1784 bis 1787: im Innenhof des Mozarthauses Vienna in der Domgasse.*
Unten: *Zauberhaftes Rokoko-Ambiente: Konzerte in der Sala terrena im Deutschordenshaus, Singerstraße 7, erinnern an das Genie Mozarts.*

Falls Zeit bleibt, sollte man einen Besuch des Mozart-Denkmals im Burggarten (Eingang Ringstraße) nicht versäumen. Die 1896 geschaffene Plastik des Bildhauers Viktor Tilgner zeigt den Komponisten vor dem Notenpult, ursprünglich stand sie auf dem Albertinaplatz.

Der Walzerkönig

JOHANN STRAUSS IN WIEN

1010 Wien, Parkring/Stadtpark,
1020 Wien, Praterstraße 54,
1110 Wien, Zentralfriedhof

Er war der erklärte Liebling des Wiener Publikums und ein internationaler Star, der auf Tourneen durch Europa und Nordamerika glänzende Erfolge feierte: Johann Strauß Sohn (1825–1899), der „Walzerkönig". Seine Karriere begann er als Komponist und Dirigent von Tanz- und Marschmusik, später erlangten auch seine Operetten wie *Die Fledermaus* (1874) oder *Der Zigeunerbaron* (1885) Weltruhm. Im Jahre 1863 wurde er zum „k. k. Hofball-Musikdirektor" ernannt und bezog mit seiner charmanten ersten Frau Henriette („Jetty", 1818–1878) eine elegante Wohnung im 1. Stock des Hauses Praterstraße 54, deren Wohn- und Arbeitszimmer heute mit Originalmöbeln und -instrumenten als Museum eingerichtet sind. Hier komponierte er jenen Walzer, der zur weltweit bekanntesten Wiener Melodie wurde: *An der schönen blauen Donau*, von einem Männerchor gesungen, erlebte am 15. Februar 1867 seine Uraufführung. Gezeigt werden Gegenstände aus dem persönlichen Besitz von Johann Strauß, u. a. auch ein mit sechs tönenden Registern ausgestattetes Harmonium und eine kostbare Amati-Geige, deren Klang einst die Wiener bezauberte.

So, wie ihn die Legende verklärte und er der Musikstadt Wien in unvergänglicher Erinnerung bleibt, gestaltete 1921 Edmund Hellmer das in vergoldeter Bronze ausgeführte Denkmal des Komponisten im Stadtpark (Eingang Parkring): die Geige spielend, seine Zuhörer verzaubernd. Wer in aller Stille dieses großen Künstlers gedenken möchte, muss sich in die große Totenstadt Wiens begeben: Das Grab von Johann Strauß befindet sich am Zentralfriedhof (Simmeringer Hauptstraße 234, Gruppe 32 A, Nr. 27).

Oben: *Ein legendärer Botschafter Wiener Musik und Wiener Lebensfreude: das Denkmal für Walzerkönig Johann Strauß im Stadtpark.*
Unten: *Alt-Wien lebt in der Johann-Strauß-Wohnung in der Praterstraße: Möbel und Instrumente aus dem Besitz des Komponisten.*

Der Prachtboulevard

DIE RINGSTRASSE
1010 Wien

Der Bau der Ringstraße, eines grandiosen Gesamtkunstwerks von etwa 4,5 km Länge, verwandelte Wien: Aus der engen barocken Festung wurde eine moderne europäische Großstadt, City und Vorstädte erhielten nun eine einzigartige verbindende Klammer, eine *via triumphalis*, die zum Schaufenster des österreichischen Kaiserstaates wurde, zum Inbegriff von imperialer Pracht und Eleganz. Am 20. Dezember des Jahres 1857 hatte Kaiser Franz Joseph I. in einem Handschreiben die Schleifung der Basteien angeordnet und um „Verschönerung" seiner Residenz gebeten. Während noch unbarmherzig die Spitzhacken in den alten Gemäuern wüteten, zerbrachen sich Stadtplaner und Architekten den Kopf darüber, wie diesem Wunsch des Monarchen am besten zu entsprechen wäre. Ein „Grundplan" wurde erstellt, der 1859 die Zustimmung des Kaisers erhielt; großzügig konzipierte man einen breiten Boulevard, begleitet von Alleen zum Flanieren und Reiten, heftig stritt man um die Bauplätze für die gewaltigen Monumentalbauten, die bald aus dem Boden wachsen sollten: Hofoper und Hofburgtheater, Parlament und Rathaus, Hofmuseen, Universität und Börse. Die Errichtung dieser öffentlichen Bauten finanzierte man aus dem Verkauf von Parzellen an private Unternehmer. Mitglieder des Kaiserhauses und der Aristokratie, des Finanz- und Industrieadels investierten gleichermaßen in die begehrten Baugründe. Als erstes Palais wurde 1864 beim Schwarzenbergplatz jenes für den Herzog Philipp von Württemberg fertig gestellt, das heutige Hotel Imperial, und bereits am 1. Mai 1865 konnten Franz Joseph I. und

seine Gemahlin Elisabeth beim Äußeren Burgtor unter dem Jubel der Wiener die feierliche Eröffnung der Ringstraße vornehmen.

Wer erfolgreich war und etwas auf Repräsentation hielt, wohnte in der Folge an der Ringstraße – so dokumentierte man seinen sozialen Aufstieg. In der „Ringstraßenzeit" feierte das altösterreichische, wohlhabende Großbürgertum seine letzte Blüte, setzte sich in luxuriös ausgestatteten Palästen ein unvergängliches Denkmal.

Unten: *Im Schatten des Doppeladlers: Heldenplatz und Neue Burg.*
Rechts oben: *Das Denkmal des Prinzen Eugen von Anton Dominik Fernkorn am Heldenplatz.*
Rechts Mitte: *Im Trab durch das Innere Burgtor: Mit dem Fiaker lässt sich die Welt der Ringstraße bequem erobern.*
Rechts unten: *Ausspannen im Grünen unmittelbar an der Ringstraße: der Volksgarten mit dem Theseustempel, erbaut 1820 bis 1823 von Pietro Nobile.*

Eine Fahrt über den „Ring", eine der schönsten Straßen der Welt, darf in keinem Wien-Besuchsprogramm fehlen, widerspiegeln ihre Bauten doch in faszinierender Weise den goldenen Glanz der untergehenden Habsburgermonarchie. Besonders eindringlich ist diese Stimmung am Heldenplatz spürbar: Wer je von den Stufen der Neuen Burg im späten Licht der Sonne auf die Silhouetten der prachtvollen Ringstraßenbauten in der Ferne blickte, wird das unvergleichliche Flair dieser imposanten Stadtlandschaft nie mehr vergessen. Da ist der weithin sichtbare Turm des Rathauses (Rathausplatz 1), das 1872 bis 1885 im neugotischen Stil von Friedrich von Schmidt erbaut wurde, ein riesiger Bau, der vom Stolz einer selbstbewussten Bürgerschaft kündet, da ist die wuchtige griechische Säulenhalle des Parlaments (Dr.-Karl-Renner-Ring 3), erbaut 1874 bis 1884 von Theophil von Hansen mit Materialien aus fast allen Kronländern der Monarchie, davor wacht Pallas Athene, die Göttin der Weisheit (Plastik von Carl Kundmann), auf dem Dach dieses Tempels der Demokratie lenkt die geflügelte Nike ihre Quadrigen zum Sieg. Und da erheben sich hinter dem monumentalen Äußeren Burgtor (1821–1824, Luigi Cagnola und Pietro Nobile) die mächtigen Kuppeln der ehemaligen Hofmuseen, des Naturhistorischen (Burgring 7) und Kunsthistorischen Museums (Burgring 5), einst

geplant als majestätische Eckpunkte des gigantischen „Kaiserforums", das durch den Bau eines zweiten Flügels der Neuen Burg geschaffen werden sollte. Davor erstrecken sich die Rasenflächen auf dem Heldenplatz, wuchern Bäume und Sträucher im Volksgarten und im Rathauspark, eine frische Kulisse aus Natur vor steinernen Denkmälern, die daran erinnert, dass die Ringstraße nicht zuletzt auch eine beglückend grüne Welt ist.

Unten: Ein Palast im Renaissancestil, erbaut für die großartigen Meisterwerke aus den kaiserlichen Sammlungen: das Kunsthistorische Museum.
Rechts: Monumentale steinerne Ringstraßenwelt: das Parlament mit dem von Theophil Hansen entworfenen Pallas-Athene-Brunnen (oben) und das neogotische Rathaus (unten).

Im Palast des Kaisers

DIE HOFBURG

1010 Wien, Burgring/Heldenplatz/
Michaelerplatz/Josefsplatz

Sie ist ein eigener Stadtteil, ein verwirrendes steinernes Labyrinth mit 18 Trakten, 19 Höfen und 2600 Räumen, mit versteckten Treppen und geheimnisvollen Türen: die Hofburg, einst „Kraftzentrale" des Habsburgerreichs. Über 600 Jahre lang war sie die Residenz der Dynastie, von hier aus regierten habsburgische Herzöge, Könige und Kaiser ihre weiten Länder, hier entfaltete sich die bunte Welt des Hofes. Vom Babenbergerherzog Leopold VI. um 1215/20 als „neue Pfalz" bezogen, wurde die Hofburg 1279 von König Rudolf von Habsburg und seinen Söhnen mit Beschlag belegt. Ihre Nachkommen bauten sie immer weiter aus, aus der ursprünglichen mittelalterlichen Burganlage mit ihren vier Ecktürmen wurde ein gewaltiger Gesamtkomplex, in dem sie alles konzentrierten, was ihnen wirklich ans Herz gewachsen war, vor allem Musik und Kunst, Pferde (Spanische Reitschule) und Bücher (Hofbibliothek). Wichtige Etappen waren der Bau der „Stallburg" für Kaiser Maximilian II. 1558 bis 1568 durch Pietro Ferrabosco und des später

nach Amalie Wilhelmine, der Witwe Kaiser Josephs I., „Amalienburg" benannten Trakts, der 1605 vollendet wurde. Und 1660 bis 1666 erfuhr der „Leopoldinische Trakt" an der Südwestseite des Inneren Burghofs eine Erneuerung und Umgestaltung, 1723 begann nach Plänen von Johann Lukas von Hildebrandt die Errichtung des „Reichskanzleitrakts", der die Nordostseite des Inneren Burghofs abschließt, auf dem heute

das Denkmal für Kaiser Franz I. (Pompeo Marchesi, 1824–1846) steht. Während im Leopoldinischen Trakt einst Maria Theresia ihre Gemächer hatte, die heute dem österreichischen Bundespräsidenten als Amtsräume dienen, befinden sich im Reichskanzleitrakt die für Besucher zugänglichen Kaiserappartements mit den Wohn- und Audienzräumen Kaiser Franz Josephs I. und seiner Gemahlin Kaiserin Elisabeth. Der empfehlenswerte Rundgang durch diese im Rokokostil eingerichteten Räumlichkeiten mit wertvollen Wandteppichen aus Brüssel, mit Kristall-Lustern, Porzellan-Kachelöfen und Empiremöbeln, führt mitten hinein in die Lebenswelt des Wiener Hofes im 19. Jahrhundert, gibt eine Ahnung vom Alltag Kaiser Franz Josephs und seiner Sisi, die hier als harmonische Familie zu leben hatten und gleichzeitig das Reich repräsentieren mussten.

Einen Besuch ist auch die Silberkammer wert, die von der Pracht kaiserlicher Esskultur erzählt: Zu sehen sind unter anderem das Tafelgeschirr der Kaiserfamilie, der berühmte „Mailänder Tafelaufsatz", das „Vermeilservice", ein Prunkservice für 140 Personen, kostbares Porzellan sowie wunderbare Gold- und Silberschmiedearbeiten.

Als letzter Bau wurde 1913 die „Neue Burg" mit ihrer imposanten Säulenkolonnade am Heldenplatz fertig gestellt, ursprünglich gedacht als Teil eines gewaltigen „Kaiserforums", heute Heimstätte des Kongress-

zentrums Hofburg und verschiedener Sammlungen des Kunsthistorischen Museums (Hofjagd- und Rüstkammer, Ephesos-Museum, Sammlung alter Musikinstrumente) sowie der Österreichischen Nationalbibliothek und des Museums für Völkerkunde. Der große Plan Gottfried Sempers blieb Vision – der Palast des Kaisers ist aber auch so von faszinierender Vielfalt!

Oben: *Imperiale Dachlandschaft: der allgegenwärtige Doppeladler auf der Neuen Burg; Reichskrone am Reichskanzleitrakt; Atlas trägt die Weltkugel (Josefsplatz).*
Unten: *Blick in die kaiserliche Lebenswelt: Speisezimmer mit gedecktem Tisch; das Konferenzzimmer und die Räumlichkeiten „Sisis" in der Amalienburg (unten).*

Kronen, Juwelen, Kleinodien

DIE SCHATZKAMMER

1010 Wien, Hofburg/Schweizerhof

Vom Inneren Burghof gelangt man über eine von gekrönten Löwen bewachte Steinbrücke zum Schweizertor (Pietro Ferrabosco, 1551–1554), dem Renaissance-Haupttor des ältesten Teils der Hofburg. Hier, im Schweizerhof, befindet sich an der rechten Seite der Eingang zur Schatzkammer, zu jenem außergewöhnlichen Hort von Kronen, Insignien und Symbolen, der in einzigartiger Weise über 1000 Jahre abendländischer Geschichte widerspiegelt, eine Sammlung von unschätzbarem kunsthistorischem und ideellem Wert. Aufbewahrt werden in dieser Außenstelle des Kunsthistorischen Museums, deren Mobiliar im Rokokostil aus der Zeit Maria Theresias stammt, u. a. die berühmten Kleinodien und Insignien des Heiligen Römischen Reiches, etwa die von Sagen umwobene Heilige Lanze, die, so die uralte Legende, ihren Besitzer unbesiegbar machte; im Mittelalter galt sie als wichtigstes Symbol des „wahren" Herrschers. Zu sehen sind auch die Reichskrone (2. Hälfte 10. Jahrhundert), das Reichskreuz (um 1024/25) und der Krönungsmantel (1133/34). Prunkstück unter den Insignien des Erbkaisertums Österreich ist die prachtvolle Krone Rudolfs II., angefertigt von dem Antwerpener Goldschmied Jan Vermeyen als „Privatkrone" für Kaiser Rudolf II. im Jahre 1602. Sie gilt zu Recht als ein Hauptwerk der europäischen Goldschmiedekunst. Weitere Abteilungen widmen sich den Insignien der österreichischen Erbhuldigung, dem Habsburg-Lothringischen Hausschatz sowie den Schätzen des burgundischen

Oben: *Ein gekrönter Löwe bewacht den Zugang zum Schweizertor.*
Unten: *Die Insignien des österreichischen Kaisertums: Reichsapfel, Kaiserkrone und Szepter; rechts ein Salbengefäß aus Smaragd (2680 Karat!) von Dionysio Miseroni, darunter ein exquisites Suppengefäß: die Sèvres-Ährenterrine.*

Oben: Kaiserliche Esskultur: Goldene Spiegelplateaus zählen zu den hervorragenden Schätzen der Silberkammer.
Unten links: Dessertaufsatz der Habsburger, u. a. mit Gefrorenenkelchen und Kompottschalen.
Unten rechts: In der Burgkapelle zu erleben: die Wiener Sängerknaben.

Erbes und des Ordens vom Goldenen Vlies, beeindruckender Höhepunkt hier ist der herrliche, aus Gold- und Seidenfäden gestickte Messornat des Ordens (1. Hälfte 15. Jahrhundert). Die Sammlung der „Geistlichen Schatzkammer" umfasst kostbare Reliquien, liturgische Geräte und Paramente, die am habsburgischen Hof verwendet wurden. Vom Schweizerhof aus gelangt man auch in die Burgkapelle, deren

Anfänge in die Zeit König Přemysl Ottokars zurückreichen und die 1447 bis 1449 im spätgotischen Stil umgebaut wurde. Sie bietet eine besondere Attraktion für Musikfreunde: Die Burgkapelle ist Sitz der traditionsreichen Hofmusikkapelle, die an Sonn- und Feiertagen hier die Messe gestaltet: Ein Chor der Wiener Sängerknaben und Mitglieder des Staatsopernchors begeistern mit Werken alter und neuer Meister.

Mythos einer Kaiserin

SISI MUSEUM

1010 Wien, Hofburg/Kaisertor – Innerer Burghof

*Kaiserin Elisabeth im Galakleid, Franz Joseph in Feldmarschalls-Galauniform.
Gemälde von Franz Xaver Winterhalter im Großen Salon der Kaiserappartements.*

Unter Kanonendonner und Glockengeläute aller Wiener Kirchen legte am 22. April 1854 gegen 16 Uhr der Raddampfer „Franz Joseph" am Kai in Nußdorf an. Elisabeth in Bayern, genannt „Sisi", die zauberhafte sechzehnjährige Braut Kaiser Franz Josephs, war angekommen. Mit einem Sprung war der Monarch auf dem Schiff, umarmte und küsste die liebreizende Prinzessin unter den staunenden Blicken des Publikums – die Wiener waren sofort begeistert von der Schönheit dieses Mädchens, man hoffte, dass sein Einfluss sich günstig auf die Amtsführung des jungen Kaisers auswirken würde, der sich seit der Thronbesteigung 1848 nicht unbedingt sehr liberal gezeigt hatte. Doch es kam anders: Sisi wurde am Wiener Hof nicht glücklich, zog sich nach der Geburt der vier Kinder Sophie, Gisela, Rudolf und Marie Valerie immer mehr von ihrem Gatten zurück und suchte die verlorene Freiheit auf Reisen und in exzentrischer Lebensführung – Schlankheitswahn, Schönheitskult, Sport und schwärmerische Poesie bestimmten von nun an ihren Alltag; der mysteriöse Selbstmord Erzherzog Rudolfs 1889 in Mayerling ließ sie schließlich gänzlich vereinsamen und den Tod herbeisehnen. Franz Joseph, der sie trotz allem weiter aufrichtig liebte, verschrieb sich dagegen der unbedingten Pflicht zur Arbeit: Er schlief in einem einfachen eisernen Bett, stand jeden Tag um 4 Uhr morgens auf, wusch sich mit kaltem Wasser und sprach auf einem Schemel das Morgengebet. Nach einem bescheidenen Frühstück ging es an den Schreibtisch zu den Akten.

Zum 150. Hochzeitstag von Kaiserin Elisabeth und Kaiser Franz Joseph wurde 2004 in den Kaiserappartements der Hofburg ein neues Museum eröffnet, das ein authentisches Porträt dieser ungewöhnlichen Frau aus dem Hause Wittelsbach zeichnet: von der glücklichen Jugend in Bayern über Verlobung und Hochzeit mit dem Habsburgerkaiser bis hin zu ihren rastlosen Reiseabenteuern und der Ermordung in Genf am 10. September 1898 durch den Anarchisten Luigi Lucheni. Zahlreiche persönliche Gegenstände Sisis werden gezeigt, so eine Rekonstruktion jenes Kleides, das sie als Braut an ihrem Polterabend trug, Schönheitsrezepte und Schmuckstücke, ihr Morgenmantel und ihr Sonnenschirm, eine begehbare Rekonstruktion des luxuriös ausgestatteten Hofsalonwagens und nicht zuletzt auch die Totenmaske der ermordeten Monarchin.

Rechte Seite: *Das Wohn- und Schlafzimmer Kaiserin Elisabeths in ihrem Appartement in der Hofburg (Amalienburg).*
Unten: *Sisi Museum – Raumansicht „Am Hof".*

Oben: *Hohe Schule der klassischen Reitkunst in Vollendung: Lipizzaner bei der Levade.*
Unten: *Ein gewaltiger „Dom der Bücher": der Prunksaal der Österreichischen Nationalbibliothek mit dem Kuppelfresko von Daniel Gran.*

Ballett der weißen Hengste

15 DIE SPANISCHE HOFREITSCHULE
1010 Wien, Hofburg/Michaelerkuppel (Haupteingang)

Jede ihrer Galavorführungen in der prachtvollen Winterreitschule in der Wiener Hofburg ist ein spektakuläres Schauspiel, fasziniert durch die vollendete Harmonie zwischen Pferd, Reiter und Musik: Als einzige Institution der Welt pflegt die Spanische Hofreitschule noch jene hohe Schule der klassischen Reitkunst, die mit dem Einzug der Renaissance auch in Wien eine Heimstätte fand. Erzherzog Maximilian, der Sohn Kaiser Ferdinands I., begann um 1562 mit der Zucht edler spanischer Pferde in Österreich. 1729 gab Kaiser Karl VI. den Auftrag zum Bau der Winterreitschule, die nach Plänen von Joseph Emanuel Fischer von Erlach gegenüber der Stallburg entstand und 1735 eröffnet werden konnte. In diesem Jahr legte Karl VI. auch fest, dass in der Spanischen Hofreitschule nur Pferde aus dem 1580 gegründeten Gestüt in Lipizza, die berühmten Lipizzaner, zum Einsatz kommen dürfen. Heute befindet sich das Gestüt der österreichischen Lipizzaner in Piber (Steiermark); ihre Zucht sichert den Weiterbestand der letzten barocken Kultur-Pferderasse. Einen hervorragenden Einblick in das Training der weißen Hengste bietet ein Besuch der für Publikum zugänglichen „Morgenarbeit"; wer mehr über die Geschichte der Lipizzaner wissen möchte, erfährt dies im Lipizzaner Museum (Reitschulgasse 2), das an die Stallungen angrenzt und von dem aus man auf zwei großen Monitoren die Pferde live beobachten kann.

Zum kulturellen Vermächtnis des habsburgischen Hofes zählt auch die Österreichische Nationalbibliothek, die ihre Wurzeln in der ehemaligen Hofbibliothek hat. Ihr Herzstück ist der fast 80 m lange und 20 m hohe Prunksaal, einer der schönsten Bibliothekssäle der Welt, erbaut 1723–1726 nach Plänen von Johann Bernhard Fischer von Erlach (Eingang: Josefsplatz 1). Mehr als 200.000 kostbare alte Bücher sind hier auf- und ausgestellt, darunter auch die 15.000 Werke umfassende Bibliothek des Prinzen Eugen von Savoyen.

Das Mausoleum der Habsburger

DIE KAISERGRUFT (Kapuzinergruft)

1010 Wien, Neuer Markt/Tegetthoffstraße 2

Das Habsburgerreich stand am Vorabend des Dreißigjährigen Krieges, als Kaiserin Anna (1585–1618), die Gemahlin von Kaiser Matthias (1557–1619), die Gründung einer Begräbnisstätte und eines Klosters der Kapuziner am Neuen Markt, damals noch „Mehlmarkt" genannt, verfügte. 1633 war die neue Familiengruft der Habsburger so weit fertig gestellt, dass die sterblichen Überreste von Anna und Matthias hierher überführt werden konnten. 12 Kaiser und 19 Kaiserinnen und Königinnen fanden bis heute in den Blei- und Metallsärgen der „Kapuzinergruft" ihre letzte Ruhestätte, insgesamt 146 Personen. Als letzte wurde 1989 Kaiserin Zita, die Witwe Kaiser Karls I., hier begraben. Nach alter Tradition des Wiener Hofes wurden bis 1878 nur die einbalsamierten Körper der Toten in den Sarkophagen beigesetzt; die Eingeweide (Intestina) bestattete man in kupfernen Urnen in der Herzogsgruft des Stephansdoms, die Herzen in silbernen Bechern in der „Herzgruft" der Hofpfarrkirche St. Augustin – so konnten drei Kirchen „am Leichnam eines regierenden Herrn Anteil haben".

Ein Rundgang durch diesen stillen Ort des Todes unter der Kapuzinerkirche, vorbei an den Särgen von Menschen, die das Schicksal Europas mitbestimmten, ist eine berührende Begegnung mit mehr als drei Jahrhunderten österreichischer Geschichte.

Rechts: *Eindrucksvoller Zentralraum von Jean Jadot de Ville-Issey: die Maria-Theresien-Gruft mit dem prunkvollen Doppelsarkophag für Maria Theresia und Kaiser Franz I. Stephan, davor der schlichte Sarg Kaiser Josephs II.*

Oben: *Memento mori! – Detail vom Sarkophag Kaiser Karls VI., darunter die Särge von Kaiserin Elisabeth, Kaiser Franz Joseph I. und Kronprinz Rudolf in der Franz-Josephs-Gruft.*

Königreich des Zeichenstifts

17

ALBERTINA
1010 Wien, Albertinaplatz 1

Die Geschichte der Albertina, einer der bedeutendsten und größten grafischen Sammlungen der Welt, beginnt mit einer großen romantischen Liebe: Maria Christine, Erzherzogin von Österreich und Lieblingstochter Maria Theresias, genannt „Mimi", hatte sich verliebt; Vater Kaiser Franz I. Stephan hätte jedoch einer Heirat mit ihrem Auserwählten, Albert Kasimir zu Sachsen (1738–1822), der später den Titel „Herzog von Teschen" trug, nie zugestimmt und so musste sie warten – bis nach dem Tod des Vaters dann 1766 doch geheiratet werden konnte. Die Ehe von Mimi und Albert wurde außerordentlich glücklich, zur großen Passion des Paars entwickelte sich das Sammeln von Kunst. 1793 mussten beide aus Brüssel, wo Albert als Statthalter der habsburgischen Niederlande amtiert hatte, fliehen; in Wien bezog man das 1742 bis 1745 errichtete Palais des Grafen Silva-Tarouca auf der Augustinerbastei, das nach dem Tod Mimis 1798 von dem belgischen Architekten Louis de Montoyer im klassizistischen Stil umgebaut wurde und in dem auch der Adoptivsohn der beiden, Erzherzog Carl, der Sieger von Aspern 1809, zusammen mit seiner Gattin Henriette von Nassau-Weilburg nach dem Tod Alberts Quartier bezog.

Auf einem Rest der alten Bastei ruhend, vor sich schwebend das ultramoderne Flugdach des „Soravia-Wing" (Entwurf von Hans Hollein), thront das lang gestreckte Gebäude der Albertina hoch über der Umgebung. Seine von Josef Kornhäusel 1822 ausgestatteten historischen Prunkräume bedeuten einen Höhepunkt klassizistischer Dekorationskunst; Zentrum dieser Gemächer ist der „Musensaal", so benannt nach dem hier aufgestellten Zyklus „Apollo und die neun Musen" von Joseph Klieber; im ganz mit Blattgold überzogenen „Goldkabinett" steht ein Porzellantisch aus Sèvres, das Hochzeitsgeschenk von Marie Antoinette, der Königin Frankreichs, für ihre Schwester Mimi. Gegenwärtig umfasst die Sammlung der Albertina rund 70.000 Zeichnungen und mehr als eine Million Druckgrafiken, zu den Glanzstücken dieses einzigartigen Kunstschatzes zählen u. a. Arbeiten von Leonardo da Vinci, Michelangelo, Raffael, Albrecht Dürer, Rembrandt, Anton van Dyck, Peter Paul Rubens, Jean Honoré Fragonard, Eugène Delacroix, Francisco de Goya, Paul Cèzanne, Gustav Klimt, Egon Schiele, Oskar Kokoschka, Pablo Picasso, Andy Warhol und Georg Baselitz; in Wechselausstellungen werden die einzelnen Höhepunkte vorgestellt. Bedeutend ist auch die Architektur-Sammlung, die 25.000 Pläne, Skizzen und Modelle (etwa von Otto Wagner, Le Corbusier, Mies van der Rohe und Alvar Aalto) umfasst sowie wichtige Nachlässe wie jene von Johann Bernhard Fischer von Erlach und Adolf Loos. Neu gegründet wurde die Foto-Sammlung, u. a. mit Atelierfotografie und amerikanischer Fotografie der 60er- und 70er-Jahre des 20. Jahrhunderts.

Unten: *Eine der größten grafischen Sammlungen der Welt: die Albertina.*

Oben: *Die Zeichnung „Betende Hände"
von Albrecht Dürer, 1508.*
Rechts oben: *Festsaal der Albertina,
der so genannte „Musensaal".*
Rechts Mitte: *Grabmal für Maria
Christine von Antonio Canova in der
Augustinerkirche.*
Rechts unten: *Mahnmal gegen Krieg
und Faschismus am Albertinaplatz
von Alfred Hrdlicka.*

Oben: Gedenkstätte für die jüdischen Opfer des NS-Regimes in Österreich: Holocaust-Mahnmal von Rachel Whiteread am Judenplatz.
Unten: Sorgfältig restauriert: der Wiener Stadttempel in der Seitenstettengasse, Mittelpunkt der jüdischen Gemeinde Wiens.

Die Bibliothek der Opfer

DAS HOLOCAUST-MAHNMAL
1010 Wien, Judenplatz

Die Erinnerung an das Grauen darf nie verblassen: 65.000 jüdische Österreicherinnen und Österreicher kamen in der Zeit der NS-Herrschaft zwischen 1938 und 1945 durch Mord oder Selbstmord in Österreich ums Leben, wurden aus Österreich deportiert oder als Flüchtlinge in anderen europäischen Staaten von den nationalsozialistischen Verfolgungsmaßnahmen eingeholt. Knapp 80 Prozent der Ermordeten waren Wiener Jüdinnen und Juden, es lag daher nahe, den für das jüdische Leben in Wien so bedeutsamen Judenplatz zum Gedächtnisort zu bestimmen. Die britische Bildhauerin Rachel Whiteread gestaltete ihr eindringliches Mahnmal, das im Jahre 2000 enthüllt wurde, als eine nach außen gestülpte Bibliothek. Die Türen sind verschlossen, die Buchrücken nach innen gekehrt – die nicht mehr lesbaren Bücher symbolisieren das unwiederbringliche Verlorensein der Ermordeten. Rund um das Mahnmal sind Bodenfliesen eingelassen, die jene Orte verzeichnen, an denen die NS-Schergen ihre Verbrechen begingen. Ein unterirdischer Schauraum dokumentiert die bei den Arbeiten zum Mahnmal gefundenen Reste der ältesten jüdischen Synagoge, die 1421 im Zuge der „Wiener Geserah" zerstört wurde; von hier führt ein unterirdischer Gang ins Misrachi-Haus (Judenplatz 8), eine Außenstelle des Jüdischen Museums Wien, das als Multimediazentrum diesen Erinnerungskomplex begleitet. Hier kann auch das vom Dokumentationsarchiv des österreichischen Widerstands (DÖW) betreute elektronische Gedenkbuch mit den Namen und Lebensdaten der Holocaust-Opfer

eingesehen werden. Unweit davon, in der Seitenstettengasse 4, befindet sich der von Josef Kornhäusel 1824–1826 erbaute Wiener Stadttempel, der sorgfältig restauriert wurde und Mittelpunkt des gegenwärtigen Wiener jüdischen Gemeindelebens ist.

Geschichten aus ferner Zeit

1010 Wien, Fleischmarkt 11

Wien ist eine Stadt, in der die Mythen leben. Altersgraue Häuser erzählen Geschichten aus ferner Zeit, in uralten Sagen und Legenden ist die Vergangenheit gegenwärtig geblieben. Wer sich Zeit nimmt und mit offenen Augen durch die Stadt wandert, wird deshalb immer wieder faszinierende Entdeckungen machen, Orte sehen, an denen die Zeit stehen geblieben scheint. Zu diesen Plätzen mit starker Aura zählt auch das Griechenbeisl am Fleischmarkt 11, ein viel besuchtes Alt-Wiener Wirtshaus, das 1447 erstmals erwähnt wird, später als „Rotes Dachel" und „Goldener Engel" beliebt und bekannt war. Seinen heutigen Namen erhielt es von den griechischen und levantinischen Kaufleuten, die sich im 18. Jahrhundert rund um den Fleischmarkt ansiedelten. Hier soll einst auch der legendäre Liebe Augustin immer wieder eingekehrt sein, jener leichtfertige Bänkelsänger und Dudelsackspieler, der angeblich eine Nacht in der Pestgrube ohne Schaden überstand und zum Inbegriff wienerischer Lebensfreude wurde. Vier Jahre nach der Pest kamen die Türken und belagerten die Stadt – originale Kanonenkugeln aus diesen Kämpfen werden im Stiegenaufgang des Lokals gezeigt. Gleich daneben (Fleischmarkt 13) erhebt sich die Griechische (nicht unierte) Kirche „Zur Heiligen Dreifaltigkeit", erbaut 1782–87 und von Theophil Hansen 1858–61 um einen Vorbau in byzantinischem Stil erweitert, die durch ihre prachtvolle Innenausstattung besticht.

Rechts: *Ein Schild beim Griechenbeisl erinnert an den legendären Lieben Augustin.* **Unten:** *Die Griechische (nicht unierte) Kirche „Zur Hl. Dreifaltigkeit" am Fleischmarkt (links); rechts die Griechengasse, in der die Erinnerung an versunkene Zeiten noch lebendig ist.*

Idyllisches Alt-Wien

Die City von Wien ist eine imposante Landschaft aus Stein, in der sich
die unvergänglichen kulturellen Leistungen des alten Europa in wunderbar geschlossener Dichte spiegeln; sie ist erfüllt von Erinnerungen
und Poesie. Dem aufmerksamen Stadtwanderer wird dieser Zauber
nicht entgehen, er wird aus der Begegnung mit der „Welt von gestern"
neue Kraft für den Alltag schöpfen. Wer nun auf der Suche nach
diesem besonderen Erlebnis ist, sollte das glanzvolle imperiale Wien
verlassen und seine Schritte etwa zum malerischen Ruprechtsplatz
lenken. Hier erhebt sich die im Jahre 1200 erstmals erwähnte Ruprechtskirche, ein schlichtes Gotteshaus, das der Überlieferung nach
die älteste Kirche Wiens ist und vermutlich sakraler Mittelpunkt der
sagenhaften „Reststadt" auf den Ruinen Vindobonas war. Auf dem
Platz davor wurde im Mittelalter Markt gehalten, heute ist die Stille an
diesen Ort der Erinnerung zurückgekehrt. Von ihm gelangt man in
wenigen Minuten zu einem der schönsten und historisch bedeutendsten Plätze Alt-Wiens, zum Platz Am Hof. Nachdem er Wien zur Residenz erkoren hatte, ließ der Babenbergerherzog Heinrich II. Jasomir-
gott um 1155 an der Ostseite des Platzes seine Burg errichten, hier
feierte man im Hochmittelalter glänzende Feste und boten die Minne-
sänger ihre Kunst dar, hier verkündeten die Herolde Kaiser Franz' II.
1806 das Ende des Heiligen Römischen Reiches deutscher Nation. Der
Platz sah aber auch Schrecken und Düsternis: Auf diesem Platz floss
das Blut gemarterter Bauern, zischte das Richtschwert, erklangen die
Todesschreie der Verurteilten – dramatisches Geschehen, das längst
versunken und doch für den Wissenden noch seltsam gegenwärtig ist:
Die schmucken Fassaden der barocken Bürgerhäuser, die heute den
Platz Am Hof umrahmen, schweigen von den tragischen Schicksalen
der Menschen, an uns liegt es, die Erinnerung daran weiterzutragen.
So hat das Idyll, das sich dem Stadtwanderer in Wien präsentiert,

immer auch eine andere Seite, eine verborgene, erschreckend aufrichtige. Nichts verdeutlicht wohl diese Janusköpfigkeit besser als ein Besuch der Michaelerkirche (Michaelerplatz 1). Schlank ragt der Turm der ehemaligen Hofpfarrkirche, erbaut in der 1. Hälfte des 13. Jahrhunderts, in den Himmel, harmonisch fügt sich das Kirchengebäude mit seiner neoklassizistischen Fassade in das Gefüge von Mauern und Dächern. Wer jedoch die Stufen zur unterirdischen Gruft unter dem Gotteshaus hinabsteigt (nur mit Führung möglich), betritt ein unheimliches Reich: Nirgendwo sonst in Wien ist der Tod so unmittelbar gegenwärtig wie hier. Der Blick fällt auf das Antlitz mumifizierter Leichen in zerborstenen Särgen, man erkennt Kleider und Schuhe – ein düsterer Schauraum des Todes, der bewegt und erschüttert.

Oben: *Harmonie im Stadtbild: die Mariensäule Am Hof (links); der Spitzturm der Michaelerkirche (rechts).*
Ganz Rechts: *Stimmungsvolles Barockensemble Kurrentgasse (oben), mittelalterliche Schwibbögen in der Blutgasse (unten).*
Unten: *Monument des Mittelalters: die Ruprechtskirche (links); Fiaker in der Durchfahrt zur Michaelerkuppel (rechts).*

Kreative Architektur für freie Menschen

21 DAS HUNDERTWASSERHAUS

1030 Wien, Kegelgasse 34–38/Löwengasse 41–43

„Ein Maler träumt von Häusern und einer schönen Architektur, in der der Mensch frei ist, und dieser Traum wird Wirklichkeit", schrieb Friedensreich Hundertwasser (1928–2000) resümierend über jene ungewöhnliche Wohnhausanlage der Gemeinde Wien, in der er erstmals seine Forderungen nach natur- und menschengerechter Gestaltung konsequent verwirklicht sah: keine „gottlosen" geraden Linien, keine gesundheitsschädlichen Baumaterialien, sondern unebene Böden, schiefe Wände, bunte Farben, üppige Begrünung mit Bäumen und Sträuchern. Wohnen, so war dieser streitbare Künstler überzeugt, kann nicht heißen, dass man einfach nur „Quartier bezieht wie die Hendeln und die Kaninchen ihren Stall", sondern dass man sich sein individuelles „Paradies" selbst schafft – dafür hatte er seit Jahrzehnten in Manifesten und Aktionen gekämpft, nun hatte er sein Programm zusammen mit den Architekten Joseph Krawina und Peter Pelikan in den Jahren 1983 bis 1985 verwirklicht: 52 Wohnungen und 4 Geschäftslokale wurden in diesem „ersten freien Haus" eingerichtet, 16 private und 3 gemeinschaftliche Dachterrassen. Als Friedrich Stowasser (sto = „hundert" in den slawischen Sprachen!) in Wien geboren, hatte er 1949 seinen Namen in Friedensreich Hundertwasser geändert, seine gegen Normen und Klischees gerichteten Arbeiten, die immer den Menschen in Harmonie mit der Natur sehen, haben längst weltweite Anerkennung gefunden. Umfassende Information zu Leben und Werk des Künstlers bietet das Hundertwasser-Museum im 1989 bis 1991 erbauten und ebenfalls von ihm gestalteten KunstHausWien (1030, Untere Weißgerberstraße 13). Und noch ein Tipp: Friedensreich Hundertwassers *Toilet of Modern Art* in der Einkaufspassage Kalke Village, Kegelgasse 37–39 (frei zugänglich).

Architektur gegen das „Chaos des Nonsense": das Kunst Haus Wien.

Lebenselement Musik

22 DIE WIENER STAATSOPER

1010 Wien, Opernring 2

Die Sorgen des grauen Alltags versinken wie mit Zauberhand weggewischt, wenn sich der Vorhang hebt und unsterbliche Melodien den weiten Zuschauerraum erfüllen: In der Wiener Staatsoper findet die reiche Tradition Wiens als lebensfrohe Musikstadt ihre Fortführung und höchste Vollendung, wird der Anspruch der Donaumetropole, die Musikhauptstadt schlechthin zu sein, jeden Abend aufs Neue eindrucksvoll untermauert. Die Wiener lieben die Musik, weil sie das Leben lieben, und das galt auch einst für ihre habsburgischen Herrscher: Diese zogen es vor zu komponieren und zu dirigieren, denn das Schwert zu führen, und so war ihnen vor allem die Pflege der Oper, die Musik und Spektakel verbindet, schon immer ein herausragendes Anliegen. Es verwundert daher nicht, dass dem Bau des kaiserlich-königlichen Hofoperntheaters an der Ringstraße von höchster Stelle besondere Priorität eingeräumt wurde. Bereits am 25. Mai 1869 konnte der von August von Sicardsburg (Grundplanung) und Eduard van der Nüll (Innendekoration) errichtete Musikpalast in Gegenwart von Kaiser Franz Joseph I. und Kaiserin Elisabeth mit Mozarts *Don Giovanni* feierlich eröffnet werden. Direktor Gustav Mahler, der die Oper 1897 bis 1907 leitete, und sein kongenialer Bühnenbildner Alfred Roller sorgten für eine erste Blütezeit des Instituts; gegen Ende des Zweiten Weltkriegs, am 12. März 1945, weitgehend zerstört, nahm die wieder aufgebaute Staatsoper 1955 mit Beethovens *Fidelio* den Spielbetrieb wieder auf.

Oben: *Hochburg der internationalen Opernwelt: die Wiener Staatsoper, ehemals das Opernhaus des Kaisers.*
Unten: *Kunstvolle Ausgestaltung der Loggia durch Moritz von Schwind: Detail vom Zauberflöten-Zyklus (Mitte) und Vogeldarstellungen.*

Allabendlich – die Spielzeit läuft von 1. September bis 30. Juni – begeistern seitdem internationale Stars und das hervorragende Wiener Staatsopernorchester das Publikum, einmal im Jahr gehört die Staatsoper allerdings ganz dem Vergnügen und der Lebenslust – als Höhepunkt des Wiener Faschings findet hier der Opernball statt, das rauschende Fest der Republik, ein Pflichttermin der Wiener High Society.

Dem Musikfreund wird in Wien eine Fülle an Möglichkeiten geboten, faszinierende Konzert-Erlebniswelten sind etwa das 1913 eröffnete Wiener Konzerthaus (1030, Lothringerstraße 20) und der Musikverein (Karlsplatz 6), erbaut von Theophil Hansen 1867 bis 1870 im Stil hellenistischer Renaissance. Allein hier werden jährlich rund 500 Konzert-veranstaltungen angeboten; das traditionelle „Neujahrskonzert" mit den Wiener Philharmonikern im Großen Musikvereinssaal (dem „Goldenen Saal", Bild oben), der sich durch eine vollendete Ästhetik und großartige Akustik auszeichnet, ist längst zu einem internationalen Medienereignis geworden.

Legendäre Bühne am Ring

Von Kaiser Joseph II. 1776 per Dekret zum „Teutschen Nationaltheater" erklärt, genoss die ab 1814 „k. k. Hofburgtheater" genannte Bühne, damals noch am Michaelerplatz, bereits im 19. Jahrhundert Kultstatus. Ganz allgemein war man in Wien der Ansicht, dass es das beste deutsche Theater schlechthin sei – eine Überzeugung, die vor allem im Hinblick auf die Rivalität mit Berlin gerne als Trumpfkarte ausgespielt wurde, um die Überlegenheit der Wiener bzw. österreichischen Kultur zu demonstrieren. Auf der Bühne des Burgtheaters, des „echt vaterländischen Instituts" (Moritz Gottlieb Saphir), feierte man jene Siege, die man auf den Schlachtfeldern vergeblich zu erringen suchte. Die Mitglieder des Ensembles wurden vom Wiener Publikum abgöttisch verehrt und gefeiert, Klatsch und Tratsch in der Stadt galten den Stars der „Burg", die Bühne des Kaisers war der „bunte Widerschein, in dem sich die Gesellschaft selbst betrachtete" (Stefan Zweig). Diesen Glanz übertrug man schließlich auch auf das „neue" Haus am Ring: Von Gottfried Semper und Carl Hasenauer wurde 1874 bis 1888 ein monumentaler Palast errichtet, an der prachtvollen Innenausstattung arbeitete u. a. auch Gustav Klimt mit (Deckengemälde „Vor dem Theater in Taormina" im linken Stiegenhaus, Bild links). Aus der privaten Bühne des habsburgischen Hofes wurde 1918/19 das Staatstheater der Republik, das nach schweren Zerstörungen in den letzten Kriegstagen mit Franz Grillparzers *König Ottokars Glück und Ende* 1955 wieder eröffnet werden konnte. Mit großartigen Leistungen, darunter zahlreichen Uraufführungen (Thomas Bernhard, Peter Handke, Elfriede Jelinek), verteidigt das Burgtheater seitdem erfolgreich seinen Ruf als eine der bedeutendsten Sprechbühnen Europas.

Spektakel müssen sein ...

 DIE WIENER FESTWOCHEN
Kartenbüro: 1060 Wien, Lehárgasse 11

Es war im Juli 1927, am Höhepunkt der politischen Unruhen in der Ersten Republik, als die Wiener Stadtverwaltung zum ersten Mal „Wiener Festwochen" veranstaltete: bescheidene 14 Tage (5.–19. Juli 1927) im Zeichen von Wiener Kunst und Kultur, die damals vom tragischen Geschehen auf den Straßen überlagert wurden. Erst im Mai 1951, Wien war noch eine von den Alliierten besetzte Stadt, kam es zur Wiederaufnahme des Festivals, das von nun an regelmäßig alle Jahre stattfinden sollte und rasch an Umfang und Bedeutung gewann. Heute sind die Wiener Festwochen ein aufregendes, schillerndes Mega-Event, das spektakuläre internationale Bühnenkunst präsentiert, aufgeführt an Dutzenden von Orten. Für fünf Wochen in Mai und Juni ist Wien Treffpunkt von grandiosen Künstlern und Ensembles aus aller Welt und ein wahres Eldorado für Theater-, Musik- und Tanzfans, die aus einer Vielzahl von Veranstaltun-

gen wählen können. Eindrucksvoll beweist Wien Jahr für Jahr, dass es eine der großen Weltmetropolen der Kultur ist, ein Ort, der zu Recht einlädt zu bunten Spektakeln und beschwingter Musik, der beste Unterhaltung und unbeschwerte Lebensfreude bietet. Und inzwischen warten neben den Wiener Festwochen auf den Besucher bereits weitere Attraktionen: der Oster-Klang mit den Wiener Philharmonikern, der Wiener Musiksommer oder das Musikfilmfestival vor dem Rathaus im Sommer – in Wien gehören Kultur-Höhepunkte zum Alltag!

Der Tempel der Kunst

Man schrieb den 3. April 1897: Eine Gruppe junger avantgardistischer Künstler probte den Aufstand gegen das Kunst-Establishment und formierte sich zur „Vereinigung bildender Künstler Österreichs Secession"; erster Präsident der „Secession" wurde Gustav Klimt (1862–1918). Mit der prachtvoll ausgestatteten Zeitschrift *Ver Sacrum* („Frühlings-opfer", erschienen 1898–1903) und eigenen Ausstellungen wollte man dem Wiener Publikum ein radikales Programm der Erneuerung nahe bringen. Der Architekt Joseph Maria Olbrich, ein Schüler und Mitarbeiter Otto Wagners, wurde mit dem Bau des Vereinshauses am Karlsplatz beauftragt, für dessen Errichtung die Stadt Wien ein Grundstück zur Verfügung stellte und das zur eindrucksvollen Manifestation für den Aufbruch der Wiener Kunst im *Fin de Siècle* geraten sollte. Das am 15. November 1898 nach nur sechsmonatiger Bauzeit eröffnete Gebäude von etwa 1000 m² Grundfläche wurde von Olbrich in „Kopf" und „Leib", in einen Eingangsbereich und einen Ausstellungstrakt, gegliedert, wobei Ersterer die berühmte Kuppel trägt. Die Lorbeerlaube aus vergoldetem Eisen, Sinnbild für Leben und Fruchtbarkeit, wurde aus über 3000 Blättern und 700 Beeren geschmiedet. Die Architektur des Ausstellungsraums folgt mit einem erhöhten Mittelschiff und zwei niedrigeren Seitenschiffen sowie einem Querschiff dem Vorbild frühchristlicher Basiliken. Die drei Gorgonenhäupter im Eingangs-

Unten: *Leuchtendes Symbol für den Aufbruch der Wiener Kunst im Fin de Siècle: das Vereinshaus der Secession mit seiner berühmten Lorbeerlaube.*

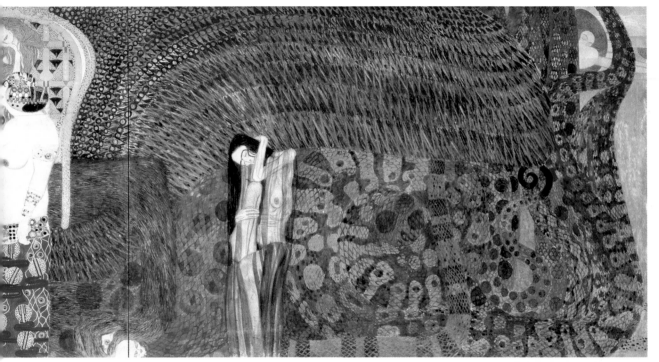

Oben: Gustav Klimt brach mit der Tradition und schuf Werke von einer faszinierenden neuen Ästhetik: der Beethovenfries (Detail) in der Secession.

bereich (Bild unten), Skulpturen von Othmar Schimkowitz, symbolisieren die architektonischen, bildhauerischen und malerischen Künste; die von Joseph Maria Olbrich selbst gestalteten Eulen an den Seitenfronten sind Sinnbild der Pallas Athene, der Göttin der Weisheit und der handwerklichen Künste. Die Zeitgenossen sparten nicht mit Kritik an dem ungewöhnlichen Bau und verspotteten ihn als „Tempel für Laubfrösche", „Zwittergeburt von Tempel und Magazin" oder „Ägyptisches Königsgrab". Inzwischen ist das 1984/85 umfassend renovierte Gebäude zu einem Wahrzeichen Wiens geworden; in zahlreichen alljährlich hier stattfindenden Ausstellungen, Vorträgen und Symposien wird der zeitgenössischen Kunst eine stilvolle und unabhängige Heimstatt gewährt.

Der Beethovenfries

Eigentlich war geplant, den als bloße „Dekoration" gedachten Wandzyklus Gustav Klimts nach dem Ende der 14. Ausstellung der Secession im Jahre 1902 zu zerstören. Seinen Zweck, den Hintergrund zu einer Beethovenskulptur von Max Klinger zu bilden, hatte es ja erfüllt. Da man aber für das nächste Jahr eine große Klimt-Retrospektive plante, beschloss man, das etwa 24 x 2 Meter große Monumentalbild an Ort und Stelle zu belassen. 1903 erwarb dann der Industrielle und Klimt-Mäzen Carl Reinighaus den Fries, ließ ihn in 7 Teile zersägt von der Wand nehmen und in einem Möbeldepot einlagern. Nach wechselvollen Schicksalen konnte er 1973 von der Republik Österreich erworben und restauriert werden, seit 1986 ist das Kunstwerk als Leihgabe der Österreichischen Galerie Belvedere in einem eigenen, exakt temperierten Raum im Untergeschoss der Secession wieder für die Öffentlichkeit zugänglich.

Thema dieses Jugendstil-Meisterwerks ist die allegorische Umsetzung von Beethovens 9. Symphonie, im Mittelpunkt steht die Sehnsucht des Menschen nach dem Glück, das von den feindlichen Gewalten, symbolisiert durch die Gorgonen, den affenähnlichen Giganten Typhoeus und die sündhaften Leidenschaften, gefährdet wird. Bemerkenswert auch die vielseitige Technik: Gustav Klimt benutzte Kaseinfarben, schwarze und farbige Kreiden sowie Goldfarbe und Graphit, arbeitete mit den verschiedensten Materialien wie Perlmutter und Vorhangringen als Applikationen und bezog weiße Flächen mit unbearbeitetem Putz geschickt mit in die Komposition ein.

Otto Wagners Meisterwerk

DIE KIRCHE „ZUM HEILIGEN LEOPOLD" AM STEINHOF

1140 Wien, Baumgartner Höhe 1

Oben: Weithin sichtbares Wahrzeichen der Wiener Moderne am Rande des Wienerwalds: die Kirche „Zum hl. Leopold".
Unten: Glasfenster von Kolo Moser (links); die Bronze-Engel über dem Portal schuf Othmar Schimkowitz.

Er war Architekt und Stadtplaner, „Baukünstler" und Visionär: Otto Wagner (1841–1918), der geniale Wegbereiter der Wiener Moderne. Trotz zahlreicher Anfeindungen, ausgelöst vor allem durch sein Engagement für die „Secession", wandte er sich konsequent von der starren Formensprache der Gründerzeit ab und begann den Charakter eines Bauwerks aus seiner Funktion und im Zusammenspiel mit moderner Bautechnologie (Betonbau, Eisenkonstruktionen) zu entwickeln. Diese technische Zweckmäßigkeit verband er jedoch mit einem hohen ästhetischen Anspruch – das Ergebnis waren mitreißende Bauten, die zu Meilensteinen in der Geschichte der Architektur geworden sind. 1903 bis 1907 errichtete er auf dem Gelände der psychiatrischen Heil- und Pflegeanstalt „Am Steinhof" die Kirche „Zum heiligen Leopold", einen weithin sichtbaren Zentralkuppelbau, dessen Außenwände er

mit Marmor verkleiden ließ, die Kupferplatten der Kuppel wurden vergoldet. Künstlerkollegen entwarfen die prachtvolle Jugendstil-Dekoration des Innenraums: Koloman Moser, der Mitbegründer der „Wiener Werkstätte", die farbigen Glasfenster, Remigius Geyling den Mosaikschmuck. Streng achtete Otto Wagner auf die Bedürfnisse der geisteskranken Patienten: kurze, abgerundete Bänke, gekachelter Boden. Allein, das „Allerhöchste" Kaiserhaus war durch diese glanzvolle Modernität irritiert. Thronfolger Erzherzog Franz Ferdinand erwähnte bei der Eröffnung am 8. Oktober 1907 Wagner mit keinem Wort und sprach unumwunden aus, dass ihm der Jugendstil nicht gefalle – Otto Wagner erhielt vom Wiener Hof keinen Auftrag mehr. Zahlreiche großartige Entwürfe, etwa zu einer neuen Akademie der bildenden Künste oder dem Kriegsministerium, konnten nicht verwirklicht werden.

Wahrzeichen des Jugendstils

POSTSPARKASSE UND PAVILLON KARLSPLATZ

1010 Wien, Georg-Coch-Platz 2 bzw. Karlsplatz

Unten: „Engelsfigur" aus Aluminium-guss von Othmar Schimkowitz auf dem Dach der Postsparkasse, einem der wegweisenden Bauten Otto Wagners.

Artis sola domina necessitas, „die Herrin der Kunst ist das Bedürfnis" – von diesem Motto ließ sich Otto Wagner auch bei den Entwürfen zur Postsparkasse, seinem zweiten monumentalen Schlüsselwerk in Wien, erbaut 1904 bis 1906, leiten. Eindrucksvoll demonstrierte er anhand der Fassadengestaltung die neuen Möglichkeiten kreativer Architektur: Granit und Laaser Marmor, beides wertvolle Steine, ließ er mit Bolzen an der Außenwand befestigen; im Mitteltrakt wurden auf den steinernen Oberfläche noch zusätzlich Aluminiumplättchen angebracht; geflügelte Frauengestalten aus Aluminiumguss, entworfen von Othmar Schimkowitz, krönen das avantgardistisch wirkende Gebäude. Beeindruckend auch der gewaltige dreischiffige Kassensaal im zentralen Innenhof des Bankgebäudes mit seinem zweischaligen Stahl-Glas-Gewölbe.

2005 wurde im Gebäude der Postsparkasse das neue Museum „WAGNER:WERK Museum Postsparkasse" eingerichtet (ganzjährig geöffnet), das anhand von Materialien aus dem Archiv der Postsparkasse die Ideen- und Baugeschichte dieses Bauwerks vorstellt. Eine umfassende Dokumentation zu Leben und Werk des Baukünstlers, die auch seine Leistung als Theoretiker berücksichtigt, gibt es im neu gestalteten Otto-Wagner-Pavillon am Karlsplatz, einem ehemaligen Stationsgebäude der von Wagner konzipierten Stadtbahn aus dem Jahre 1898, zu sehen (geöffnet von April bis Anfang November).

Unten und Mitte: *Ein Stationsgebäude der Stadtbahn mit dem luxuriösen Formenreichtum des Art nouveau: Otto Wagners Pavillon am Karlsplatz.*

Palast der Alten Meister

KUNSTHISTORISCHES MUSEUM
1010 Wien, Burgring 5

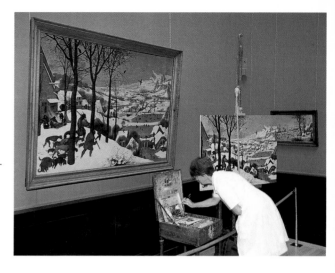

Symmetrisch zueinander angeordnet und ursprünglich als Teil eines gewaltigen „Kaiserforums" gedacht, erbaut im Stil der italienischen Renaissance nach Plänen der Stararchitekten Carl Freiherr von Hasenauer und Gottfried Semper, künden die beiden ehemaligen Hof museen an der Ringstraße, das Kunsthistorische und das Naturhistorische Museum, bis heute von der außergewöhnlich regen Sammeltätigkeit und dem universalen Anspruch des Hauses Habsburg. Keine nüchternen Zweckbauten wurden errichtet, sondern prachtvolle Paläste mit reichem, einem ausgeklügelten allegorischen Programm folgenden Fassadenschmuck. Von der Kuppel des 1891 eröffneten Kunsthistorischen Museums grüßt so Pallas Athene, die Schirmherrin der Künste, vor allem im Vestibül und Stiegenhaus entfaltet sich der malerische und plastische Schmuck, u. a. mit den Lünetten- und Zwickelbildern von Hans Makart, Gustav Klimt und Franz Matsch, zu grandioser Gesamtwirkung.

Ein Gang durch die Gemäldegalerie des Hauses führt zu zahlreichen Hauptwerken der abendländischen Kunst: von der weltweit größten Sammlung von Bruegel-Werken bis zu Raffaels „Madonna im Grünen", von den Infantinnen-Bildern des Diego Velázquez bis zu den unvergänglichen Schöpfungen eines Dürer, Rubens, Rembrandt, Tizian oder Tintoretto; faszinierende Schätze und Raritäten versunkener Zivilisationen bieten die Antiken- und die Ägyptisch-orientalische Sammlung.

Unten: *Antonio Canova schuf die Marmorgruppe „Theseus im Kampf mit dem Kentauren" im wunderbaren Stiegenhaus des Kunsthistorischen Museums.*

Im Reich der Schöpfung

NATURHISTORISCHES MUSEUM

1010 Wien, Burgring 7

Helios, der Sonnengott, Symbol für die einzigartige Kraft des Lebens, begrüßt auf der Kuppel des Palastes gegenüber dem Kunsthistorischen Museum den Besucher und lädt ihn ein zu einer atemberaubenden Reise durch das Reich der Natur. Der wuchtige Bau im Renaissancestil wurde 1889 von Franz Joseph I. eröffnet und erlaubt heute in 39 Schausälen faszinierende Blicke auf die Geschichte unserer Erde und die vielfältigen Wege der Evolution: von Meteoriten und Mineralien bis zu unermesslich wertvollen Edelsteinen, von urweltlichen Dinosauriern bis zu den Säugetieren und der „Krone der Schöpfung": dem *Homo sapiens*.

Den Grundstock für die Sammlungen, die zu den bedeutendsten der Welt zählen, legte Kaiser Franz I. Stephan, der Gatte Maria Theresias, 1748 durch Ankauf des privaten Naturalienkabinetts des Universalgelehrten Johann von Baillou; zu den berühmten und unersetzbaren Objekten des Hauses gehören die „Venus von Willendorf", eine etwa 25.000 Jahre alte Steinfigur, merkwürdige Tiere wie die vor über 200 Jahren ausgestorbene Stellersche Seekuh und riesige Saurierskelette. Ein Tipp für besonders unternehmungslustige Besucher: Vom Dach des Museums, das man im Rahmen spezieller Führungen betreten kann, genießt man einen wunderbaren Blick auf die Wiener Innenstadt.

Das Treppenhaus im Naturhistorischen Museum mit dem Deckengemälde „Kreislauf des Lebens" von Hans Canon. An den Begründer der Sammlungen, Kaiser Franz I. Stephan von Lothringen, erinnert das Gemälde auf dem Podest der Haupttreppe.

Barock und Cyberspace

Einst befanden sich hier die Stallungen für 400 Pferde der kaiserlichen Hofhaltung und 1809 brachte auf diesem Platz Napoleon seine Kanonen in Stellung, um die Burgbastei zu beschießen – heute ist es eines der zehn größten Kulturareale der Welt. Das MuseumsQuartier Wien, eröffnet im Jahre 2001, verbindet barocke Architektur und modernes Bauen (nach Plänen von Laurids und Manfred Ortner), versammelt Alte Meister und Kunst aus dem Cyberspace, bietet auf 60.000 m² ein weltweit einzigartiges Spektrum an kulturellen Einrichtungen: von großen Kunstmuseen wie dem Leopold Museum ⑤ und dem MUMOK ⑥ (Museum moderner Kunst Stiftung Ludwig Wien) über zeitgenössische Ausstellungsräume wie die KUNSTHALLE wien ④ bis zu Festivals wie den Wiener Festwochen oder dem Filmfestival Viennale. Dazu kommen ein internationales Tanzquartier ⑦, das Architekturzentrum Wien ①, Produktionsstudios für Neue Medien, das Medienzentrum „quartier21" ⑨, Künstlerateliers für „Artists-in-Residence" sowie Kunst- und Kultureinrichtungen speziell für Kinder wie das ZOOM Kindermuseum ⑧ oder „DSCHUNGEL-WIEN: Theaterhaus für junges Publikum" ③. Veranstaltungshallen ②, Cafés, Grünoasen, Bars, Shops, Buchhandlungen und eine „Musiktankstelle" sorgen in dieser zukunftsweisenden Kulturerlebniswelt dafür, dass Lebensfreude und Genuss nicht zu kurz kommen.

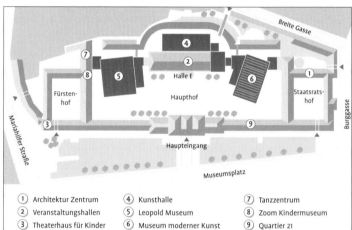

① Architektur Zentrum
② Veranstaltungshallen
③ Theaterhaus für Kinder
④ Kunsthalle
⑤ Leopold Museum
⑥ Museum moderner Kunst
⑦ Tanzzentrum
⑧ Zoom Kindermuseum
⑨ Quartier 21

Das Leopold Museum (oben)

Zusammengetragen von dem Kunstliebhaber und Sammler Rudolf Leopold (Jahrgang 1925) zeigt das Leopold Museum, ein mit weißem Muschelkalk verkleideter Neubau, auf 5400 m² Ausstellungsfläche Meisterwerke der österreichischen Moderne. Herausragender Schatz des Hauses ist die bedeutende Sammlung an Werken Egon Schieles, die rund 200 Gemälde, Zeichnungen und Aquarelle dieses außerge-wöhnlichen expressionistischen Künstlers umfasst. Weiters findet man hier wichtige Hauptwerke von Ferdinand Georg Waldmüller, Friedrich Gauermann, Gustav Klimt, Oskar Kokoschka, Richard Gerstl, Herbert Boeckl und Alfred Kubin. Ein Schwerpunkt sind nicht zuletzt Möbel und Kunstgegenstände aus dem Wien des *Fin de Siècle*: Arbei-ten von Otto Wagner, Adolf Loos, Josef Hoffmann und Kolo Moser sind zu sehen.

MUMOK – Museum Moderner Kunst Stiftung Ludwig Wien (Mitte)

Ganz in dunkelgrauen Basalt gehüllt, präsentiert das MUMOK in seiner permanenten Ausstellung „Fokus 01. Rebellion und Aufbruch der 60er Jahre" 300 charakteristische Exponate aus den Bereichen Pop Art, Fluxus, Nouveau Réalisme und Wiener Aktionismus. Die Pop Art ist unter anderem durch Kreationen von Andy Warhol, Claes Oldenburg, Robert Rauschenberg und Jasper Johns vertreten, Fluxus und Nouveau Réalisme durch Schöpfungen von Daniel Spoerri, Nam June Paik, Yoko Ono, George Brecht und Marcel Duchamp. Ausgezeichnet dokumen-tiert ist der Wiener Aktionismus, Österreichs wichtigster Beitrag zur internationalen Entwicklung der Avantgarde: Werke von Günter Brus, Otto Muehl, Hermann Nitsch und Rudolf Schwarzkogler werden gezeigt. Einen guten Überblick zur Kunst der klassischen Moderne bieten die im Kuppelsaal präsentierten Arbeiten: von František Kupka bis Wassily Kandinsky und von Piet Mondrian bis Henry Moore.

KUNSTHALLE wien (unten)

Herausragendes Ziel der Kunsthalle Wien, der im MuseumsQuartier zwei Hallen zur Verfügung stehen, ist die Vermittlung zeitgenössischer Kunst. Mit sehr experimentierfreudigen Ausstellungen zur Moderne hat sich das Haus in den letzten Jahren ein beachtliches internationa-les Renommee geschaffen; in zahlreichen Begleitveranstaltungen zu den Ausstellungen und in eigenen Informationsräumen gibt man den Besuchern die Möglichkeit, sich intensiv mit den gezeigten Kunstwer-ken auseinander zu setzen.

Zu einem beliebten Treffpunkt der Wiener Kunstszene ist das „project space", eine „experimentelle" Außenstelle der Kunsthalle Wien am Karlsplatz (Treitlstraße 2), geworden. In einem von Adolf Krischanitz entworfenen Glas-Beton-Stahl-Kubus wird ein buntes Programm geboten, das von Lesungen bis zu Live-Konzerten reicht.

Ein Prosit der Gemütlichkeit!

| 31 | BEIM HEURIGEN |
1190 Wien, Grinzing

Wer ein echter Wiener ist, ist auch ein Lebenskünstler: Mit Musik und Lachen und einem guten „Schmäh" gleitet man über die Untiefen des Lebens, man schätzt Gesellschaft, das gemütliche Zusammensitzen mit Bekannten und Freunden. Und wo könnte man dies besser und unbeschwerter tun als beim Heurigen, dem Inbegriff der Wiener Welt des Vergnügens? Beim Heurigen – im ursprünglichen Sinn des Wortes der Ort, an dem der junge Wein (der „Heurige") ausgeschenkt wird – findet der Wiener zu sich selbst, wie verzaubert genießt er in diesen kleinen Paradiesen der Lebenslust die Erholung vom Alltag. Die weite Welt der Heurigen erstreckt sich von der südlichen Stadtgrenze bis nach Stammersdorf und zum Bisamberg jenseits der Donau, ihr klassischer Mittelpunkt ist jedoch noch immer das alte Weindorf Grinzing im Nordwesten der Stadt. Malerisch gelegen inmitten der Ausläufer des Wienerwaldes, wird auf den Hängen rund um den Ort seit der Römerzeit Wein gepflanzt, heute laden in seinen schmalen Gassen allabendlich zahlreiche Heurige zum vergnügten Beisammensein. Trotz der vielen Besucher, die hier jeden Tag zusammenströmen, atmet Grinzing noch immer den verträumten Charme des Biedermeier-Vororts, ist hier das Wien der alten Zeit auf seltsame Weise lebendig.

Apfelstrudel mit Melange

 DAS WIENER KAFFEEHAUS

„Jeder Mensch in Wien hat sein Kaffeehaus, und dort trifft man ihn sicherer als zu Hause", schrieb einst ein Kenner der Wiener Kaffeehauswelt, eine Beobachtung, die auch heute noch weitgehend Gültigkeit hat. Das Kaffeehaus ist gleichsam, so ein treffendes und immer wieder zitiertes Bonmot, das erweiterte Wohnzimmer des Wieners, man geht hin und fühlt sich wie zu Hause – weil man hier nach drei Besuchen Stammgast ist, vom Ober mit ausgesuchter Höflichkeit bedient wird, seinen Kleinen Braunen oder einen Apfelstrudel mit Melange in Ruhe genießen kann und doch in Gesellschaft ist. So nimmt man mit dem Kaffeehausbesuch bequem teil an der Wiener Öffentlichkeit – egal, ob man nun nur schweigend die Zeitung liest oder sich zum Plausch mit Freunden oder Geschäftspartnern verabredet hat. Das Kaffeehaus ist der fruchtbare Schoß, aus dem in Wien einst Revolutionen, heute immerhin noch Ideen und Geschäfte geboren wurden und werden, sein Besuch unverzichtbar für jeden, der die Eigenarten der Wiener Lebenswelt näher kennen lernen möchte. Man wird erkennen: Nirgendwo sonst verbinden sich Genuss und „Arbeit" in so sympathischer Weise wie in den Kaffeehäusern Wiens.

Einige legendäre Wiener Kaffeehäuser:
Café Central (1010 Wien, Herrengasse 14),
Café Griensteidl (1010 Wien, Michaelerplatz 2),
Café Sacher (1010 Wien, Philharmonikerstraße 4),
Café Hawelka (1010 Wien, Dorotheergasse 6),
Café Landtmann (1010 Wien, Dr.-Karl-Lueger-Ring 4),
Café Sperl (1060 Wien, Gumpendorfer Straße 11),
Café Eiles (1080 Wien, Josefstädter Straße 2),
Café Dommayer (1130 Wien, Dommayergasse 1).

ISBN-10: 3-85431-381-0

ISBN-13: 978-3-85431-381-6

Mit CD:

ISBN-10: 3-85431-388-8

ISBN-13: 978-3-85431-388-5

© 2006 by Pichler Verlag in der Verlagsgruppe Styria GmbH & Co KG,
Wien–Graz–Klagenfurt
Pichler Verlag im Internet: www. pichlerverlag.at

Fotos: Toni Anzenberger/Agentur Regina Maria Anzenberger
Text: Johannes Sachslehner

Umschlaggestaltung: Bruno Wegscheider
Buchgestaltung: Franz Hanns

Reproduktion: Pixelstorm, Wien
Druck und Bindung: MKT PRINT d.d., Ljubljana, Slowenien

Bildnachweis

IMAGNO/Austrian Archives: 43 (oben links)
Lois Lammerhuber (© Schloss Schönbrunn Kultur- und
Betriebsges. m. b. H.): 38 (unten)
Manfred Horvath/Agentur Anzenberger: 40 (oben)
Österreichische Galerie Belvedere: 54/55 und 55 (rechts)
Museum im Schottenstift: 3
Chorherrenstift Klosterneuburg: 4
Wien Museum: 2, 5, 6 (oben)
Kunsthistorisches Museum: 1, 7, 38 (oben, Foto: Toni Anzenberger)
Sammlung Hänsel: 6 (unten)
APA-Images/Grafik: 8/9, 60 (Mitte)
Peter Pleyel (Zeichnungen): 8/9

Autoren und Verlag bedanken sich für die freundlichen
Abdruckgenehmigungen.

Register